1

Il primo ad arrivare fu l'ospite meno atteso.

Il maestrale si presentò con un giorno di anticipo, senza preavviso e senza regalo. Ninella lo aveva sentito dal letto ed era rimasta immobile, attonita. Un po' come quando ti svegli e senti che ti è venuta la febbre. Allora ti giri dall'altra parte, ti metti in posizione fetale, e speri che i brividi ti lascino in pace. Ma lei conosceva troppo bene il rumore delle sue persiane nei giorni in cui arrivava quel vento. Fastidioso, insistente, una campana che non smette mai di suonare. Si stava avvicinando il grande appuntamento, con il suo carico di sogni e parenti.

Ninella non pensò all'abito bianco di Chiara, ma al suo. La parte bassa avrebbe spiccato il volo scoprendole le gambe, e finalmente tutti si sarebbero accorti che non aveva la cellulite. O almeno, a lei non pareva di averne, pur essendo un po' sovrappeso. Sicuramente ne aveva meno della consuocera, e questo era più che sufficiente per allontanare la paura.

Per lei il maestrale era la peggiore sventura che si potesse abbattere su un matrimonio. Quasi come una bomboniera sbagliata, due cugini che restano senza tavolo, o due cozze che restano sullo stomaco. Perché nelle settimane successive gli invitati avrebbero raccontato tutto iniziando con: "Se non ci fosse stato il vento", dedicando meno parole alla sala, alle rose, alla sposa e alla casa.

Mancava ancora un giorno, e il maestrale a volte dura solo ventiquattr'ore. Se però aveva deciso di farsi sentire proprio alla vigilia delle nozze di sua figlia, non li avrebbe lasciati fino a quando l'ultimo parente avesse finito di mangiare la torta zebrata.

Si alzò dal letto e, prima di affacciarsi a vedere il mare – voleva ritardare quel momento – si avvicinò allo specchio. Il volto tondo, il décolleté generoso, la bocca carnosa di chi sa baciare. Davanti alla sua immagine riflessa, si sentì quasi in colpa per il sorriso che le era comparso mentre si accarezzava la testa. Stava per farsi i colpi di sole.

Li aveva desiderati per mesi, i colpi di sole, da quando li aveva visti a sua cognata, che la faceva sentire ogni volta una provinciale. Lei che andava alla Spa, aveva una foto con Mara Venier e diceva frasi come "dovresti provare lo yoga" e "perché non hai ancora il Bimby?".

«*Ma venatinn'*» mormorava Ninella. Ora che però aveva trovato il coraggio di cambiare tono al suo castano monocorde, il vento le scombinava i piani. Per fortuna nulla avrebbe potuto fermare la lacca di Lucia Coiffeur!

Guardò il mare della sua Polignano e provò a intonare: «Volare, oh-oh, cantare... oh-oh-oh-oh!». Dopo un momento di euforia, venne assalita dalla commozione. Sembrava schizofrenica.

Se l'avessero vista le sue vicine, si sarebbero sorprese nell'osservare una donna tanto sicura di sé in balia dei nervi. Ma alla mamma della sposa ogni cosa è concessa, specialmente se vedova. Spalancò definitivamente le persiane, le fissò ai lati, si lasciò investire dalla luce e riprese a cantare.

Si preparò cercando di fare piano, per non svegliare le figlie, mentre imprecava sottovoce contro tutto e tutti: «Ma cazzo!» diceva sempre. Se la prese pure con le previsioni che avevano annunciato "mari calmi o leggermente mossi". E questo vi sembra leggermente mosso?

Prima di uscire, vide il capro espiatorio contro cui sfogare la rabbia che le stava montando: il piatto della Côte d'Azur appeso al muro. Uno di quegli oggetti ricordo che stava lì da anni e

LUCA BIANCHINI

IO CHE AMO SOLO TE

I edizione Scrittori italiani e stranieri aprile 2013
I edizione NumeriPrimi° giugno 2014
I edizione Oscar Absolute maggio 2016

ISBN 978-88-04-66652-3

Questo volume è stato stampato
presso ELCOGRAF S.p.A.
Stabilimento - Cles (TN)
Stampato in Italia. Printed in Italy

Anno 2017 - Ristampa 8 9 10 11 12 13 14

| librimondadori.it | anobii.com

IO CHE AMO SOLO TE

Agli amici pugliesi,
a questo viaggio insieme.

Il tempo passa e tu non passi mai.
NEGRAMARO, *Estate*

VENERDÌ

che non era mai riuscita a digerire, né a far sparire, con il bordino d'oro e le immagini stilizzate di Menton, Cannes, Nice e Antibes. In mezzo, un termometro a mercurio che non si era mai mosso dai dodici gradi. Conosceva ogni dettaglio di quel piatto, perché sua cognata – che per tutti era zia Dora – ogni volta glielo indicava dicendo: «Quando andrai in Costa Azzurra devi sentire che buona la *ratatouille*».

Ninella chiuse tutte le porte, si rintanò in un angolo, staccò il piatto dal muro e lo lasciò cadere a terra. Sentire quel rumore le diede un sollievo istantaneo e due nuovi grattacapi: cosa avrebbe detto a zia Dora se si fosse accorta che il piatto non c'era più? Il mercurio è tossico?

Acchiappò quella goccia con non poche difficoltà e provò a disperderla nel lavandino sentendosi subito in colpa. Non raccolse nemmeno i cocci di Menton e Antibes. Si tirò indietro i capelli, indossò un cappello che secondo lei la slanciava, e in un attimo si trovò in strada. Il vento non sembrava poi tanto forte, e il cielo era così azzurro da rassicurarla. La rassicurava meno la signora Labbate, che la spiava da dietro le persiane, e che sicuramente un po' gliel'aveva tirata perché aveva ricevuto solo la partecipazione. Lei se ne fregava e si difendeva con la determinazione che non l'aveva mai abbandonata. Tutte le volte che era stata sul punto di sprofondare, si era sempre aggrappata alla sua casa.

La casa era l'unica certezza che aveva: era in pietra, ed era a picco sul mare. Da lì si poteva volare o farla finita. Bastava un salto e nessuno avrebbe saputo più nulla di lei. Ma Ninella si era sempre arresa alla vita, e ora, a cinquant'anni appena compiuti, ce l'aveva quasi fatta a essere felice.

Raggiunse piazza dell'Orologio a passo spedito, cercando di calpestare tutte le righe che delimitavano le chianche dei vicoli. Quel gioco un po' infantile era il suo modo di evitare lo sguardo dei passanti.

La piazza era di un bianco splendente, interrotto solo dai tetti e dal cielo. Entrò nella chiesa Matrice, che negli anni era diventata la sua seconda dimora. Se in casa c'era troppo rumore, lei si rifugiava in chiesa. Stava lì in silenzio, senza pregare né pensare. Si svuotava semplicemente la testa, divertendosi all'idea di essere scambiata per una persona devota. Con san Vito aveva la confidenza che si può avere con certi sconosciuti. Ogni tanto gli parlava e si raccomandava a lui, senza esserne troppo convinta. Ma quando si è soli è più facile parlare con i santi.

Si mise a sedere e cominciò a brontolare che lui non gliela doveva fare, questa cosa del vento. Non si era mai persa una processione e una volta aveva partecipato anche con 37.5 di temperatura, che per tanti non è febbre ma per lei sì. Per questo un po' se lo aspettava, un piccolo miracolo, e non le sembrava di chiedere chissà che.

Mentre usciva, davanti al portone su cui si soffermava ogni volta da quanto era bello, incontrò la signora Labbate, che forse l'aveva seguita e non perse occasione per ribadire: «Proprio oggi doveva alzarsi, sto vento, proprio oggi. Ho sentito che dura una settimana».

Ninella fece le corna di nascosto e non disse nulla. Poco dopo, però, fu costretta ad affrontare la questione perché tutte le persone che incontrava non facevano altro che dire: «Che sfortuna, proprio oggi». Neanche nei *Malavoglia* succedeva una cosa del genere, che la gente ti faceva le condoglianze per una giornata così.

In cuor suo sapeva che il maestrale non era solo il vento che spazza via tutto e non vuole sentire ragioni. Era l'ultima prova da superare.

Le lacrime fecero capolino ma le scacciò con le mani e la volontà, esercizio che ormai le riusciva senza sforzi. Tornò a casa compiendo un giro strano fra i vicoli, quasi a far perdere le sue tracce.

Aprì la porta facendo meno rumore possibile. Le sue figlie ancora dormivano, ciascuna nella propria camera, in quel piccolo mondo che era un saliscendi di scale e stanzette a eccezione di una: la cucina. Grande, piena di luce, di piatti e di mare.

Vista da una barca, sembrava uno scoglio da cui tuffarsi. Più di una volta Ninella aveva fatto entrare in casa i turisti curiosi. «*Very beautiful*» le dicevano sempre. *Be-a-u-ti-ful*. «Ma mica è un trullo!» mormorava lei quando andavano via.

Salì in camera e le sembrò di ritrovare suo marito nella stessa posizione in cui lo aveva visto dormire per anni, con il sorriso sul volto e le mani sotto il cuscino. Quel venerdì, però, non c'era niente da ridere. Si tuffò nel letto all'indietro come una bambina. Con gli occhi incollati al soffitto, pensò che mancava ancora un giorno al grande passo. E in un giorno potevano accadere tante cose.

2

Era l'unico a saperlo, che si sarebbe alzato il vento.

Gliel'aveva annunciato un pescatore qualche giorno prima, e don Mimì gli aveva creduto. Lui sempre diffidente con tutti, si fidava ciecamente dei pescatori. Chi conosce il mare vede meglio le cose, pensava, e ne ebbe un'ulteriore conferma. Per lui, il maestrale era più un ammonimento che una minaccia. Una di quelle ramanzine che ti fanno i padri solo perché ti vogliono bene.

Il pescatore gli aveva detto che sarebbe durato tre giorni, e li avrebbe lasciati soltanto dopo la festa. Almeno ci sarebbe stato il sole, e per la festa di un figlio non è cosa da poco. Le foto avrebbero avuto una bella luce ed è quello che rimane, no, dei matrimoni? Le foto. Anche i rancori a un certo punto spariscono, ma l'album delle foto sarà sempre pronto per l'esibizione e il ricordo, guarda com'eravamo giovani, guarda la zia qui com'era conciata.

Don Mimì si alzò dal letto sapendo che sua moglie era già sveglia, ma faceva finta di dormire. Per lui fu un bene. Non ce l'avrebbe fatta, a quell'ora, a sentire una voce roca sempre in guerra col mondo. Si gettò sotto la doccia, si asciugò in fretta e si osservò i baffi allo specchio. Dei denti bianchi e del naso ellenico, a lui interessava ben poco. Fissava solo i baffi. I suoi erano così perfetti che sembrava stesse tutto il giorno a pensare a loro, ma quella mattina li guardò con meno attenzione del solito. «Sei proprio uno schifo di uomo» si disse.

Li lisciò con le mani prima di mettersi addosso mezzo litro di colonia. La sparse sul corpo come se fosse acqua benedetta. Forse per questo, a cinquant'anni suonati, era ancora il sogno erotico di molte signore, anche se nessuna lo confessava apertamente. Spalle larghe, sebbene meno di un tempo, petto villoso e torace ancora imponente, impreziosito da una collanazza d'oro che lo faceva un po' giostraio un po' magnaccia.

Ma piaceva, eccome se piaceva, e poi era ricco. Un uomo d'antan in un mondo dove tutti volevano essere aggiornati e tecnologici: si rifiutava di mandare sms, usava internet solo per il poker on line e a tavola faceva ancora la scarpetta. Perché la scarpetta non è fame, è uno sfizio.

Ogni volta che usciva, si prendeva cura di sé come se avesse un appuntamento galante. I signori sono signori sempre, gli diceva suo padre, mica solo quando incontrano una donna. Ma mentre s'impomatava i capelli, si rese conto che non aveva ancora capito niente.

Lasciò la sua casa su due piani, uno dei quali condonato – la chiamavano il Teatro Petruzzelli di Polignano – e salì sulla Mercedes che aveva comprato per l'occasione. Il "re delle patate" doveva usare la macchina anche per fare pochi passi e a questo, pur essendo d'antan, non era riuscito a ribellarsi. Guai a farsi vedere a piedi. In paese avrebbero pensato che fosse tirchio o, peggio, che gli affari non andassero bene. Invece negli ultimi anni aveva esportato patate anche in Svezia, in Belgio e in Russia, e questo lo rendeva orgoglioso. S'immaginava petrolieri e regine che friggevano le sue patate sugli yacht. Parcheggiò in doppia fila vicino all'arco del centro storico, facendo un cenno ai vigili che stavano multando il primo turista della giornata.

Aveva una fitta allo stomaco come se fosse dovuto salire per la prima volta su un palco. Sentiva una strana paura, che cercò di cacciare stringendo i pugni in tasca. Forse non poteva più salvare suo figlio, ma poteva ancora salvare se stesso. Sospirò. Non riusciva a togliersi quel pensiero dalla testa.

S'incamminò salutando un paio di clienti, ed evitò di guardarsi i baffi riflessi nelle vetrine dei negozi. L'unico conforto glielo dava l'odore della sua colonia. Entrò in chiesa che Ninella era appena andata via.

Se solo fosse stato più attento, avrebbe riconosciuto le sue candele posate di lato: le disponeva sempre allo stesso modo, come se volesse stare lontano dalla mischia anche in quel gesto per lei scaramantico. Ma se si escludevano i baffi, don Mimì non era mai stato un buon osservatore. Lui era imbattibile nel lavoro, nel sesso e nel rimpianto. E quel mattino non riusciva a non pensare a suo figlio che, prima di andare a sbronzarsi con i cugini per l'addio al celibato, gli aveva detto: «Io credo nel matrimonio, ma non credo nell'amore».

«Allora perché ti sposi?» l'aveva incalzato lui. E Damiano gli aveva risposto: «Perché tu mi hai sempre detto che la cosa importante è sistemarsi».

Don Mimì non era riuscito a ribattere nulla, se non «buona serata», ma non ci aveva quasi dormito. Quelle parole gliele aveva inculcate lui. Aveva cresciuto un figlio che non credeva nei sentimenti, e aveva solo ventisette anni.

Nella propria educazione sentimentale don Mimì si era sempre affidato a un'etica del dovere piuttosto obsoleta, cui non aveva avuto il coraggio di ribellarsi. Era un giovane vecchio pieno di frustrazioni, che nascondeva con la presunzione. Così gli aveva imposto la sua famiglia e così lui aveva cercato a sua volta di imporre ai figli, riuscendoci solo in parte.

L'indomani, Damiano si sarebbe sposato. Il più grande, cui aveva messo il nome del nonno e del santo, aveva deciso di mettere la testa a posto. Per un genitore, un traguardo. Per don Mimì, quel matrimonio valeva molto di più. Innanzitutto perché la sposa era figlia di Ninella. E poi perché le nozze avrebbero distratto il paese dalle voci su Orlando, il secondogenito, che di anni ne aveva ventiquattro e di amori ne conosceva uno, ma proibito.

Per far passare un po' di tempo – sperava che Ninella apparisse – si avvicinò a san Vito e accese anche lui qualche candela con lentezza esasperante. La prima fu per Orlando, affinché alla cerimonia si presentasse con la ragazza, che avevano già sistemato al tavolo ma che nessuno aveva ancora visto. La seconda fu per sua moglie, che, per quanto fosse difficile da sopportare, in fondo era una donna che non gli aveva mai dato pensieri. L'ultima fu per Damiano. Il preferito. Lo sposo.

In realtà accendeva quelle candele soprattutto per non pensare alle parole della sera prima. A suo figlio aveva insegnato i piccoli calcoli piuttosto che i grandi sogni, e ora anche lui correva il rischio di vivere un'esistenza non diversa dalla sua, sempre e solo potenzialmente felice. Perché se non ami la donna che sposi, i figli non ti basteranno a compensare quella mancanza.

Il cigolio della porta lo fece voltare, mettendolo improvvisamente in imbarazzo. Il "re delle patate" non poteva farsi vedere in chiesa a quell'ora del mattino come una vedova qualsiasi, per di più inzuppato di profumo. Per fortuna erano due turisti sbracciati che non ci fecero nemmeno caso. Si soffermò ancora qualche minuto a osservare l'altare come se fosse un antiquario, ma alla fine si arrese e uscì.

Il bar sotto il Palazzo dell'Orologio stava mettendo fuori i primi tavolini. Era aprile, e da qualche giorno si vedevano alcuni stranieri fare il bagno alla lama Monachile. Si sedette e ordinò un espressino "chiaro". Mentre aspettava, guardava la chiesa e immaginava la scena. Il cielo era terso ma la luce, ai suoi occhi, non era mai stata così vicina alla malinconia.

3

Nancy aveva ancora due sogni da realizzare prima delle nozze di sua sorella: perdere mezzo chilo e la verginità.

Per lei avevano quasi la stessa importanza. Anzi, la priorità era perdere mezzo chilo. Se avesse potuto, già che c'era, sarebbe andata anche all'anagrafe a registrarsi come Nancy, anziché Annunziata, perché Nancy Casarano le suonava molto meglio. Annunziata Casarano era un nome già vecchio in partenza, mentre Nancy sarebbe stata la perfetta incarnazione di una canzone degli Alphaville: *Forever Young*.

Diciassette anni, 1.58 (1.70 coi tacchi), 51,5 kg, che per lei erano ancora troppi: colpa dei sughi, dei taralli e del metabolismo. Nancy odiava sua madre perché quei chili era convinta di averli ereditati da lei. E poi tutto quell'olio che usava per condire sicuramente non aiutava ad assottigliare la coscia, e a poco serviva ricordarle che lo sconsigliavano su "Ok la Salute prima di tutto".

Ma sei una ragazzina, le dicevano gli altri, devi ancora finire lo sviluppo. E lei, anziché sentirsi sollevata, pensava che la situazione potesse solo peggiorare.

L'unica cosa di cui era orgogliosa, oltre alle tette, ai piedi, e all'attaccatura delle sopracciglia – in fondo non si dispiaceva – era il sedere, che la faceva sentire la Pippa Middleton di Polignano. Abbondante ma sodo, quasi bello come quello di sua madre. Solo se schiacciava la pelle si vedeva un po' di buccia d'arancia, ma perché qualcuno dovrebbe strizzarmi la chiappa, si diceva? E poi, nel momento in cui te la schiacciano, ormai è fatta.

Il suo sedere non lo nascondeva, ma non lo esibiva. Solo quando si sentiva poco considerata trovava una scusa per voltarsi, soprattutto in presenza dei ragazzi. Quello era il jolly che giocava nei momenti di difficoltà.

Dal momento in cui si era svegliata con il rumore del piatto rotto, non si era più mossa dal letto per continuare a palpare i suoi progressi fisici – lei, prima di guardarsi, si toccava – convinta che ormai potesse mettersi in costume su Facebook. Poi aveva preso una scopa e, anziché raccattare i cocci, si era chiusa in camera e ci ballava intorno, come se fosse un palo di lapdance.

Quattro chili e mezzo se n'erano andati. Ne restava ancora mezzo, il più ostinato.

Da febbraio era andata tutti i giorni a correre sul lungomare – in realtà voleva vedere allenarsi i calciatori della Polimnia – e aveva supplicato sua madre di cucinarle sempre pasta integrale, pesce al forno e tofu. Ninella, ovviamente, poteva accettare tutto ma non il tofu.

«Ma che stai facendo nuda davanti allo specchio, *mucit*? La pornostar?»

«Ma', lasciami stare. Cercavo di capire come mi sta il vestito.»

«E allora perché non te lo provi?»

«Perché il rosa si macchia subito.»

«Ma piantala. Hai sentito uscire tua sorella?»

«Stamattina ho sentito solo che hai buttato a terra il piatto di zia Dora.»

«Mi è scivolato... e non fare la spiritosa che sei ancora in tempo per andare a scuola.»

Nancy sapeva che sua madre era nervosa perché stava facendo un'impercettibile smorfia con la bocca.

«Stai andando in chiesa, ma'?»

«Ci sono già andata. Sarebbe bene che ti andassi a confessare, che sei la sorella della sposa.»

«Ma io non ho fatto peccati recentemente. E col coro abbiamo già provato tutti i canti, pure il *Symbolum*.»

Ninella provò a ribattere, ma non ci riuscì. Faceva discorsi da madre senza esserne convinta. In realtà, era molto orgogliosa nel vedere sua figlia determinata a essere più bella, ambizione che lei non aveva mai avuto veramente. O meglio, l'aveva avuta fino a che non si era sposata, e la stava riscoprendo solo nelle ultime settimane. Dopo il matrimonio, non le erano più interessati né i complimenti né le chiacchiere. Era rimasta bella come una pianta che cresce in una terra arida, senza acqua né cure.

Passava tutto il giorno a cucire. Se non cuciva, cucinava. E quando aveva finito, appena poteva, si affacciava sul suo terrazzino a osservare il mare. Più che per trovare ispirazione, lo faceva per non impazzire. A volte stava lì a fumare, e svuotava la mente su quell'orizzonte lontano, pensando agli orli, alle asole, ai bottoni con cui avrebbe dovuto rifinire gli abiti che le commissionavano. Non aveva spazio per altri pensieri. Nancy invece ne aveva uno fisso: che gli altri la guardassero di più. Era un po' rotonda, certo, ma non al punto da essere esclusa dalle amiche o non considerata dai ragazzi. Lei però voleva essere ancora più protagonista nella vita del paese. Quando avrebbe lasciato casa per trasferirsi a Napoli – in gita aveva conosciuto un ragazzo di là e non lo aveva dimenticato – allo stadio avrebbero dovuto dedicarle uno striscione che diceva: "Non esiste Polignano senza Nancy Casarano!".

Mise la scopa nel ripostiglio e cominciò a rifare il letto. Appena sentì sua madre immersa nelle faccende, tornò allo specchio per avere conferma dei suoi progressi: si vide peggio di quanto si aspettasse. Provò ad accendere e spegnere la luce dell'abat-jour per capire quale illuminazione la rendesse più magra. Alla fine, sconsolata, decise che la soluzione migliore era rivestirsi.

Non aveva mai fatto sesso, come invece era accaduto a tutte le sue compagne di Conversano, anche se due si erano tirate indietro all'ultimo. Così, con disperata intraprendenza, aveva deciso di fare il primo passo con un ragazzo. L'amore era importante, certo, ma quello si poteva anche immaginare. Il sesso no: andava documentato con dettagli, dimensioni, odori e durata, e se mentivi ti scoprivano subito.

Aveva saputo che c'era un calciatore, Tony, specializzato nel far perdere la verginità.

Nessuna confermava, ovviamente, ma tutte sussurravano. Aveva le chiavi del trullo del nonno, in zona Vigne, dove c'era pure un letto. E lì compiva gli atti impuri, regalando un nuovo curriculum a fanciulle che, da quel momento, non sarebbero più state le stesse. Provava un debole per le ragazzine, e loro per lui. La buona notizia, per Nancy, era che Tony non faceva troppo lo schizzinoso, altrimenti non si spiegava come avesse fatto a stare pure con Robusta – Roberta per i genitori – che pesava più di lei e sapeva sempre di cavolo. Che poi a lei il cavolo fritto ricordava il cervello umano e le faceva senso.

A pensarci bene, "Nancy & Tony" erano nomi perfetti anche per stare sulle bomboniere. Ma tanto lei si sarebbe sposata con il ragazzo di Napoli in piazza del Plebiscito, quindi inutile fantasticare troppo. Così, dopo averlo incrociato per giorni mentre correva sul lungomare, una volta aveva visto Tony farsi una birra al No Vabbè e aveva preso coraggio per dirgli che forse era arrivato il momento che si conoscessero veramente.

Se n'era uscita così: assertiva. Lui non si era sorpreso più di tanto, e i suoi occhi si erano fermati sulle tette che Nancy cercava di tenere su con la forza del pensiero: "Vi prego state su, state su, su, su!". Poi lei, in piena ansia da prestazione, aveva fatto cadere una penna solo per chinarsi e mostrare il suo lato migliore, ma alla fine si era sentita troppo zoccola e l'aveva raccolta con un movimento innaturale che le era quasi costato uno strappo.

«Se vuoi ti lascio il mio numero» le aveva detto l'attaccante della Polimnia con un tono che assomigliava a un ordine, e lei l'aveva memorizzato in rubrica. «Fammi uno squillo, così poi mi segno il tuo» l'aveva liquidata lui, allontanandosi, e Nancy era entrata in confusione. Addio matrimonio a Napoli in piazza del Plebiscito.

Addio viaggio di nozze a Palermo. Sarebbe rimasta a Polignano con Tony, si sarebbero innamorati e poi, come Victoria Beckham, lo avrebbe seguito nelle varie città dei suoi trasferimenti: Barletta, Foggia, Bari, Torino e Liverpool.

Le piaceva perché le sembrava un maschio ancora capace di metterti all'angolo per dirti: "Dove credi di andare, baby?".

E lei, solo l'idea di questa frase, la faceva impazzire.

A quell'incontro erano seguiti squilli a vuoto e messaggi, soprattutto messaggi. Dapprima timidi, poi dolci, poi allusivi, fino a diventare del tutto espliciti. Scriveva e cancellava, Nancy, osava e si pentiva. Ma finiva sempre nel letto a toccarsi sognando di avere Tony sopra di sé. Più che Tony, era l'idea di "dove credi di andare, baby?" che la eccitava, e il suo telefonino era bravissimo a tenerla in ostaggio. Non riusciva a studiare più di mezza pagina senza aver dato almeno una controllata al cellulare.

Quando si era decisa e gli aveva mandato la foto in reggiseno illuminata dall'abat-jour, lui le aveva risposto solo: "Mmm". E lei aveva capito che era il ragazzo dei suoi sogni. Così aveva preso coraggio e chiamato Carmelina, che era vergine come lei, anche se per scelta. E al telefono le aveva raccontato per filo e per segno dieci giorni di chat erotica. «Stai attenta che quello ti farà soffrire» le aveva ripetuto la sua amica. Ma lei era convinta che, dopo il ragazzo di Napoli, Tony sarebbe stato perfetto per coniugare sesso e amore. Da una settimana, quindi, ogni giorno poteva essere il giorno.

L'altra persona con cui avrebbe voluto confidarsi era sua sorella. Però ora che stava per sposarsi era insopportabile, e parlava solo di preparativi, preventivi e aperitivi.

Anche lei un giorno avrebbe pronunciato la sua promessa, magari davanti alla Juventus, e sarebbe partita per Formentera o Miami, a seconda della stagione. È lì che vanno i calciatori, no? Ma prima doveva perdere la verginità, e soprattutto l'ultimo mezzo chilo.

4

Ci sono notti in cui la tua unica sveglia è il cuore.

Ti allarma, ti tranquillizza, ti riagita, prova a convincerti che va bene – inutilmente – per lasciarti in preda all'ansia o agli ansiolitici, a seconda.

Era stata così anche la notte di Chiara. Tra incubi e sospiri, la sposa aveva cercato di dormire affidandosi a venti gocce di valeriana prescritte dalla sua testimone di nozze, Mariangela, collega dell'agenzia immobiliare. Le aveva chiesto di farle da testimone al posto della cugina predestinata, che se l'aspettava più per grado che per meriti. Ma c'era qualcosa che non la convinceva del tutto nel suo comportamento, anche se avevano trascorso insieme le estati della loro infanzia. Ultimamente, ai matrimoni dei parenti in cui si erano incontrate, non aveva fatto altro che ribadire: «Siete proprio meridionali», come se lei, solo perché viveva a Varese e si spinzettava le sopracciglia, appartenesse alla razza ariana.

Al momento della decisione aveva sollevato il problema a sua madre Ninella, che le aveva chiesto: «A chi diresti un segreto? Se la risposta è Mariangela, scegli lei. Un testimone è la persona di cui ti fidi, non quella che ti farà il regalo più costoso. *E capeit 'u fatt?*».

Così aveva compiuto il primo gesto di ribellione della sua vita.

Dopo che la cugina aveva saputo di non essere stata scelta, aveva risposto di avere già un'altra cerimonia lo stesso giorno, e sia Chiara sia Ninella avevano dedotto che se l'era legata al dito.

La futura sposa ci stava ancora rimuginando – "non è che mo' si offendono tutti e non viene nessuno?" – quando un sms l'aveva svegliata: "Amore, mi sto ritirando... a domani. Damiano".

Erano le cinque del mattino.

Il suo fidanzato, a due giorni dalle nozze, aveva organizzato la sera di addio al celibato con i cugini. A differenza di Chiara, lui era molto legato ai suoi parenti, in particolare a Cosimo. Cosimo e Damiano erano inseparabili e in paese li chiamavano i dottori, come i santi, anche se erano solo diplomati.

Per lo sposo, Cosimo era il fratello che avrebbe voluto avere. A entrambi piacevano le belle macchine e le belle donne, erano tifosi del Bari e tutti i lunedì si facevano male giocando a calcetto. Non s'interessavano di politica, né avevano grandi pretese. Vivevano senza porsi troppe domande godendo dei soldi che avevano, per la gioia dei commercianti, dei locali notturni e del casinò di Sanremo.

Per una serata così Damiano avrebbe voluto un posto speciale, ma all'ultimo non se l'era sentita di portarli al night di Fasano – troppo rischioso – preferendo il Caffè del Mar di Bari, più elegante, dove aveva speso una fortuna in tavoli, champagne e ragazze immagine. Perché, quando vedeva Cosimo, Damiano non capiva più niente. Era il suo mito: libero, gaudente e riservato.

Chiara, malgrado i dubbi, non aveva avuto troppo da ridire, perché coltivava un unico sogno: sposarsi. Poi si era già fatta una pizza in masseria con alcune amiche ed era contenta così: balli fino alla mezza, qualche regalino di biancheria intima un po' osé, tanta musica e "un'atmosfera meravigliosa", come le ripeteva Mariangela ogni dieci minuti.

Quando aveva compiuto diciott'anni, sua madre le aveva regalato un biglietto con questa frase: "Se nella vita non vorrai avere problemi, gli uomini lasciali comandare, o almeno lasciaglielo credere. L'amore è innanzitutto non rompere i coglioni. Mamma".

Con quelle parole ancora in mente, non aveva voluto mettersi a discutere con Damiano in piena notte, anche se per un attimo se l'era immaginato che si strusciava con Martina Gold. Ma per fare quelle cose gli uomini vanno all'estero, mica a Fasano, si diceva per convincersi. E se avesse avuto la coscienza sporca non mi avrebbe scritto con innocenza a quell'ora. Poi io a letto sono una bomba! Una volta aveva accettato di farsi legare mani e piedi, e lui si era eccitato come un pazzo.

Da quando però sentì il maestrale picchiare sulle finestre, non pensò più né al fidanzato né alle spogliarelliste. Si concentrò sulla sua festa di matrimonio, cui aveva dedicato il tempo libero degli ultimi due anni.

Le venne subito in mente la faccenda dei nomi dei tavoli, e quell'idea malsana imposta da sua suocera, che dopo aver bocciato sia le città sia i titoli delle canzoni – l'hanno già fatto tutti! – si era impuntata sui venti. «Per la prima volta» diceva, «a un matrimonio gli ospiti si siederanno al tavolo di Scirocco, Tramontana, Libeccio, Ponentino, Bora, Maestrale...» Aveva passato giorni interi a ricercare le correnti più strane, e a un certo punto se n'era uscita anche con Katrina, che però «è solo una battuta» aveva detto nel momento in cui aveva visto le facce di Chiara e Ninella.

Sui nomi dei tavoli ormai non si poteva fare più niente, perché i cartoncini erano stati già stampati – la tipografia era ad Altamura – e questo fu il primo dramma che Chiara dovette affrontare: può un banchetto di nozze iniziare con le risatine degli invitati?

Il secondo fu pensare a sua madre, la più dubbiosa di tutti sulla scelta dei venti. Si sarebbe depressa una volta per tutte?

Per quanto si sforzasse di cambiare espressione, quel velo triste non l'aveva mai abbandonata. Perché Ninella non era triste negli occhi, lo era nei gesti. Quando cuciva: cioè sempre. Quando ricamava: cioè spesso. Il massimo lo dava quando girava il sugo della domenica, quello con le rolatine. Lì era un vero strazio e ti veniva ogni volta da abbracciarla. Cominciava a emozionarsi dal soffritto, ma le cipolle erano una scusa troppo banale per versare lacrime. Nessuna massaia piange veramente mentre fa il soffritto.

In fondo Chiara sentiva che non era solo per la morte di suo padre, scomparso da tanti anni. Era convinta che c'entrasse anche lo zio e quella storia di contrabbando. Ma le poche volte in cui si era sforzata di cercare la verità – perché a Polignano ne giravano troppe – Ninella le rispondeva che la mamma deve sapere tutto dei figli ma i figli devono sapere solo che la mamma gli vuole bene. Poi accennava un sorriso che era solo un modo per chiudere la questione. Oppure diceva: «Uh, come sono indietro!» e iniziava a sfogliare "Mademoiselle", la rivista francese cui era abbonata e da dove traeva ispirazione per i suoi modelli.

Uno sprizzo di gioia le aveva però illuminato gli occhi quando Chiara le aveva accennato che frequentava Damiano Scagliusi. «Scagliusi Damiano?» le aveva chiesto, come a scuola. «Proprio lui, ma'. Il figlio del re delle patate.»

Chiara sapeva quanto quel soprannome facesse presa sulla gente del paese, ed era convinta, dicendolo, di colpire anche sua madre. Ma Ninella non si lasciava impressionare facilmente, anche se dopo la notizia si era rinchiusa in bagno e se n'era uscita dopo mezz'ora con i capelli a posto e le labbra colorate di rossetto. Poi, come se nulla fosse, si era messa a lavorare su un nuovo cartamodello. Era una guerriera disposta a stare immobile per anni, almeno in apparenza. Nel frattempo, aveva investito le energie nel lavoro e nelle figlie, che aveva fatto studiare anche grazie alla pensione di suo marito. Chiara a ragioneria a Castellana, Nancy all'Istituto magistrale di Conversano. Ma dopo il diploma non se l'era sentita di mandare Chiara a Economia e commercio. Si limitò a dire che non se lo poteva permettere, che a Bari girava la droga, che in paese avrebbero potuto mettere in giro strane voci. In realtà aveva bisogno di lei perché aveva paura di non farcela a sopportare tutta quella solitudine.

Chiara aveva preferito non discutere, perché in fondo sapeva di non essere abbastanza brava per l'università. Ma lei amava Bari. E il sabato, quando non lavorava all'agenzia immobiliare, prendeva il treno per andare in città: si fermava prima alla Feltrinelli, poi faceva un giro per corso Cavour, mangiava un panzerotto, si addentrava nella parte vecchia fino al lungomare. Sperava sempre di essere abbordata da qualche ragazzo, ma quando succedeva si sentiva in colpa, riprendeva il treno e tornava a casa.

Per trovare lavoro aveva partecipato a diversi concorsi in zona, e per un soffio non era entrata all'Ufficio Anagrafe di Monopoli. Dopo un po' di mesi l'avevano assunta nell'agenzia immobiliare Case di Puglia, dove aveva rivelato inconsapevoli doti di venditrice. Bastava che avesse una casa tra le mani ed era pronta per recitare a soggetto.

Le parole magiche, quando trovava un acquirente disposto a spendere, erano: "guardi che esposizione"; "volendo si può buttare giù il muro"; "vicini silenziosi"; "vicini non curiosi"; "vicini che probabilmente non possono avere figli"; "bisogna sbrigarsi perché tra un po' arrivano i russi come in Versilia".

I russi smuovevano più di tutti.

Le case, insomma, erano il suo pane, e sapeva che prima o poi sarebbe toccato anche a lei averne una propria.

Per avere venticinque anni, Chiara poteva apparire anacronistica. Anche la sua camera sembrava un po' démodé: alle pareti aveva un quadretto di Ostuni, un calendario della banca, una foto dei suoi genitori a Otranto, il diploma di ragioneria incorniciato e una foto con Ridge di *Beautiful* quando lo aveva incontrato all'uscita di un ristorante. Quello era il suo motivo di orgoglio, perché Ridge sorrideva mentre lei non era riuscita a farlo per l'imbarazzo, e sembrava lei la diva. Le spiaceva solo che il colletto della camicia non fosse a posto, cosa che le aveva subito fatto notare sua madre.

Fisicamente, a parte gli occhi, aveva molto di Ninella: il collo sottile, i capelli appena mossi, le labbra carnose, ma nell'insieme era tutto un po' più sbiadito. Come se non fosse pienamente convinta della propria bellezza, e la stanza dove dormiva in qualche modo lo confermava. Forse anche per questo si era fermata al primo ragazzo che l'aveva corteggiata seriamente, Damiano, cui si era concessa con tutto il desiderio che teneva represso da anni. Non avendo termini di paragone, a letto le sembrava insuperabile.

Per certi versi era molto più avanti Nancy, la cui stanza era quasi tutta rosa: pareti confetto, mobili rosa scuro e accessori rosa chiaro, dall'abat-jour alle tende alle penne. Pure a scuola usava solo evidenziatori di quel colore. Non poteva che essere rosa anche la sua bilancia, che alla vigilia delle nozze segnava 51.5 kg.

Ancora mezzo chilo e sarebbe stata perfetta agli occhi di tutta Polignano, mezza Bari e varie delegazioni di: Castellana, Monopoli, Conversano, Mola, Locorotondo, Putignano, Rutigliano, Alberobello, Triggiano, Fasano, Noci, Gioia del Colle e Martina Franca. Senza contare i parenti di Brindisi, Foggia, Lucera, Maglie, Lecce, Parma, Varese e Castelfranco Veneto. In tutto, sarebbero stati 287, di cui almeno un centinaio solo per gli affari della famiglia Scagliusi.

E mentre Chiara sentiva Nancy urlare nella doccia *Yes Jesus Loves Me*, nella testa le tornò in mente la frase: "L'amore è soprattutto non rompere i coglioni". Ninella si affacciò alla sua stanza e la fece ripiombare nella realtà.

«Tira così forte, ma'?»

«Sì, sono andata fino allo scoglio dell'eremita per scaricare un po' la tensione... un disastro. E tutti sti maledetti a dirmi: "Che dispiacere, proprio oggi...". Ma vedrai che cala.»

«Non è che l'ha chiamato mia suocera, che ha voluto dare ai tavoli il nome dei venti?»

L'eruzione di un vulcano avrebbe fatto meno casino di quello che Ninella urlò in pochi minuti. Ma riuscì a farsela passare in fretta, perché era una donna che sapeva sempre quali erano le priorità.

«Ora non ci pensare, Chiara, magari dura solo un giorno. Tra un po' arriva zia Dora e non voglio che ci trovi in preda al panico... sicuro che quella a suo marito lo fa correre come un pazzo per poi vantarsi quando ci suonano alla porta. E guai se non mi vengono bene i colpi di sole! Mi critica fino a Castelfranco... poi starà ancora nervosa che abbiamo invitato anche i Facciolla, che non so se si parlano ancora.»

«Stavolta non lo farà. Zia Dora è una superiore a queste cose.»

Una persiana si chiuse all'improvviso e il buio squarciò la stanza in due. Il mare copriva ogni rumore e l'aria profumava di sale.

«A che ora devi andare per il prefilm?»

«Vito Photographer verso le undici e poi ci vediamo con Damiano. Facciamo qualche ripresa e le ultime foto.»

Per distinguerlo da tutti gli altri Vito, il fotografo più richiesto della zona lo chiamavano così. L'insegna del negozio era diventata una specie di cognome.

«Ma possibile che sto fotografo non abbia ancora finito di girare le scene? Io non lo so, abbiamo faticato tanto e poi hai scelto uno che fa le cose all'ultimo minuto...»

«Hai ragione, ma è il più bravo.»

«Questo lo dici tu. Io preferivo Pino Cocozza che ti faceva il servizio coi cavalli.»

«Ma lui non poteva quel giorno! E poi ero cozzalissima sui cavalli, dai. Vedrai che Vito sarà una sorpresa.»

«Speriamo, Chiara. Mo' vatti a preparare che anche se è un prefilm devi stare bene... io mi devo muovere, che Lucia Coiffeur non mi tiene mai il posto.»

«Figurati se non ti fa passare subito, sei la mamma della sposa. Ma se volevi te li faceva Pascal domani quando viene per me, sicuro che avevi lo sconto.»

Ninella si fermò un attimo per prendere la rincorsa.

«*Ma tou si' pacc'(ie)* che gli lascio tutti quei soldi. Duecento euro per i colpi di sole! Certi parrucchieri *so' pacc'(ie)*! Come sanno che è per un matrimonio ti alzano il prezzo.»

«Mamma sono le mie nozze... me l'ha consigliato lo stilista e devo andare sul sicuro.»

«"Sicuro" è una parola che ti devi dimenticare. Intanto prepara la colazione a tua sorella, mi raccomando le fette integrali. E telefona a padre Gianni che quello è stordito e si dimentica le prove.»

E uscì di nuovo, Ninella, con il cappello a nascondere la chioma che finalmente sarebbe cambiata. Saltellava su quei vicoli tirati a lucido come se l'avessero liberata da un sequestro. Non gliene importava più di calpestare perfettamente le linee delle chianche, ed era felice che i vicini la vedessero noncurante di tutto. Chi la incontrò ebbe la conferma che non fosse poi tutta centrata, malgrado l'eleganza che sapeva trasmettere con le cose che indossava. Anche i vestiti che cuciva avevano sempre qualcosa di speciale.

"Si vede che l'ha fatto Ninella" era per lei il massimo dei complimenti. Una delle ragioni, forse l'unica, che l'aveva salvata dalla depressione.

5

Fu la sete a tirare Damiano giù dal letto quella mattina.

Era rientrato tardi, un'ora dopo il messaggio inviato a Chiara dalla macchina, sbronzo, mentre Cosimo gli urlava: «Non vomitare sul sedile che l'ho appena lavata!». Si era attaccato allo champagne e alla carta di credito, ma tutti quei brindisi, alla lunga, l'avevano intristito.

La bella vita era finita.

Addio alle serate a Bari, alle scorribande con i cugini e a quella libertà che ti permette di essere fedele "quasi sempre" pur di concederti, ogni tanto, un piccolo svago. E lui, che non voleva correre rischi, preferiva pagare, magari al night. Lo aveva fatto solo qualche volta, e quasi sempre all'estero, con Cosimo, che l'avrebbe coperto anche di fronte all'evidenza. Perché era un attimo che la voce si spargesse e lui – e tutti gli Scagliusi con lui – avrebbero fatto la figura degli sfigati arricchiti. In cuor suo era convinto che i maschi del paese fossero tutti uguali: quando potevano, si divertivano, ma guai ad ammetterlo pubblicamente.

Perciò meglio evitare i rischi dell'ultimo minuto, che sono i più pericolosi. "Per tradire non devi avere fretta" gli diceva Cosimo, che agli occhi di tutti era il fidanzato ideale, e invece aveva due iPhone identici con numeri diversi, che usava a seconda delle situazioni. Damiano ammirava quella sfrontatezza che lui non riusciva a ostentare. Così gli aveva chiesto di non portare nessuna "sorpresa" alla serata, come aveva già visto in altre occasioni.

Forse anche per questo aveva esagerato nell'ordinare champagne: voleva farsi perdonare. Damiano viveva l'ebbrezza dei soldi come un'occasione di vanità, che non sfruttava mai pienamente. Il massimo lo provava quando scendeva dalla Bmw e faceva scattare la chiusura davanti a qualche passante. Lì quasi si eccitava e doveva aggiustarsi le mutande ogni volta. Ma per il paese, malgrado le sgommate e le patate, Damiano era considerato un po' fesso. Quello che ha tutto senza esserne pienamente consapevole. Ma a denunciare la sua insicurezza c'era una strana balbuzie.

Gli capitava solo quando era teso, o stanco, o in momenti imprevedibili. Le parole inciampavano sulla lingua, ed erano capaci di non andarsene più. L'interlocutore, se era sufficientemente sensibile, se ne stava col fiato sospeso, a tifare in silenzio, sperando che la frase, prima o poi, potesse riprendere.

Certo, la ricchezza nel suo caso rendeva tutti più pazienti, per cui difficilmente le persone gli terminavano la frase. Molti si erano addirittura convinti che fosse una cosa normale: «A chi non succede ogni tanto?» dicevano i conoscenti per farselo amico, pensando al suo patrimonio fatto di ortaggi, terreni e case. Oltre al "Petruzzelli" di Polignano, gli Scagliusi avevano una casa a San Vito, un trullo nella Valle d'Itria, una masseria a Ostuni, una in Salento, e una mezza dozzina di appartamenti in paese.

Per Damiano, però, la casa era solo a Polignano a Mare. Lì si sentiva accettato e rispettato, lì voleva vivere e far crescere i suoi figli. Fu anche questo che l'aveva colpito di Chiara, oltre al fatto che non gli avesse mai detto di no a letto: pur trattando le case più belle della zona, era convinta che solo a Polignano ci fosse quella luce fatta di rocce e di blu.

Le poche ore in cui aveva dormito non erano state facili per lui. Aveva sognato che suo fratello veniva insultato durante la cerimonia: "Ricchione! Ricchione! Sparisci ricchione!". Però, malgrado gli incubi e la testa pulsante, il risveglio gli regalò un temporaneo sollievo.

C'era ancora la possibilità che Orlando si presentasse alle nozze con la ragazza che diceva di frequentare, e questo lo fece alzare di buonumore. Scese in cucina, aprì il frigo a doppia anta e si attaccò alla Coca-Cola.

Si sedette su uno sgabello high-tech che era più bello che comodo, ma sua madre aveva preteso i più cari senza neppure provarli. Dei genitori non c'era traccia, nemmeno nella tavernetta in stile valdostano, con tanto di camino e cervo imbalsamato, che usavano per le feste di Natale.

Accese la televisione e si fermò su un programma di ricette che spiegava il pâté di tonno senza tonno. Le ricette avevano un valore quasi ipnotico per lui, perché lo illudevano che la vita fosse facile: basta un pizzico di pepe, una leggera scottatura, una noce di burro e tutto si risolve. Non aveva mai cucinato nulla, se non le spaghettate di mezzanotte, ma sapeva che cucinare era molto più complesso di come facevano credere sul piccolo schermo. Alzò ancora un po' il volume perché aveva paura del silenzio, e il silenzio gli ricordava la verità: il suo ultimo giorno da scapolo.

Il telefonino lo fece ripiombare nel presente.

«Pronto, Chiara?»

«Dove stai?»

«Sto a casa... mi sono alzato da poco. Tu invece dove stai?»

«Come ti sei alzato mo'? Tra poco arriva Vito Photographer per finire il servizio, che viene con uno di Telenorba.»

«Ma che ore sono?»

«Le dieci e mezzo. Lui arriva da me verso le undici, ed è preoccupato perché con il maestrale è tutto più difficile.»

«Ma perché, ci sta maestrale?»

Chiara inspirò ed espirò, l'amore è innanzitutto non rompere. Gli spiegò con calma la situazione, non gli fece domande sulla sera prima, cercò di non mettergli fretta ma lo invitò ad accelerare. «Camicia bianca e jeans» gli ripeté almeno tre volte, perché «fa elegante ma non cerimonia.» Così gli aveva detto Vito nel *briefing*, parola che le piaceva ripetere anche se non le era molto chiara. Solo in quel modo il servizio sarebbe stato perfetto.

Ma "perfetto" era la parola che più terrorizzava Damiano dopo "logopedista" ed "Egitto", l'incubo di tutti i produttori di patate della zona. Su quella terra lontana si producevano patate in grande quantità a prezzi inferiori, per cui don Mimì non faceva altro che chiedergli idee e soluzioni.

Lui avrebbe voluto tutto fuorché nuove responsabilità. Le cose sarebbero state più facili se alla "Scagliusi & figli Import Export" ci fosse stato anche suo fratello, che invece aveva preferito studiare e fuggire a Bari. I due avevano pochissimi punti di contatto: il burraco dei tornei alle feste di Natale e le ricette da commentare insieme qualche volta alla tv. Per il resto non parlavano né di donne, né di macchine, né di affari. Ma con lui Damiano non balbettava quasi mai.

Quando don Mimì rientrò in casa, lo trovò con la lattina in mano che cercava di regolare l'altezza dello sgabello.

«*Evviva 'u zeit!*»

«Non urlare, papà, che mi scoppia la testa. Ieri abbiamo esagerato.»

«Hai fatto bene. Vuol dire che in fondo eri contento, no?»

Don Mimì aveva un disperato bisogno di conferme.

«Sì, ieri sera siamo stati proprio bene. Dovevi vedere Cosimo che faceva la mia imitazione, ci ha fatto scompisciare...»

«Mo' che ti sposi però devi mettere la testa a posto.»

«Sì... purtroppo...»

«...»

«...»

«Ma Orlando non era con voi?»

«No, mi ha detto che restava a Bari dall'amica sua.»

«Quindi viene stamattina?»

«Non lo so.»

«Ma domani si presenta con questa ragazza o no?»

«Così ha detto, ma sai com'è Orlando.»

«Orlando è uno Scagliusi e gli Scagliusi mantengono la parola. Se ha detto che viene con la ragazza vuol dire che ci sarà.»

Stava alzando la voce, don Mimì, ma non per Orlando. Per sé. Aveva avuto la conferma che suo figlio si sposava per dovere più che per convinzione.

«Hai ragione, papà. Ora scusami ma devo prepararmi per il prefilm.»

«Ma non avete ancora finito?»

«No, mancano delle foto di noi insieme... e qualche ripresa sugli scogli. Gliel'avevo detto a Chiara che era meglio quello di Gioia, che almeno faceva tutto in due giorni. Ma lei si è fissata con questo Vito di C...»

«Castellana?»

«C...»

«Cerignola?»

«C... ... ... Conversano. E mamma alla fine si è arresa. Quando ha visto il fotolibro in pelle ha ceduto. Anche se bravo, è bravo. Mi hanno detto che lo chiamano pure da Taranto.»

«L'importante è che le foto vengano bene.»

«Vedrai che sarai molto orgoglioso di me, papà.»

Don Mimì invece non lo era per niente. E la responsabilità, ne era convinto, ce l'aveva lui stesso per come lo aveva educato. E pensare che don Mimì era un romanticone. Quando poteva, riguardava *I ponti di Madison County*. Se ne stava da solo nella sala degli specchi, con il telecomando in mano, pronto a fermare le immagini se entrava sua moglie, neanche fosse un film porno. Lo aveva visto una volta in dvd e da allora, come i bambini, non se ne stancava mai. Piangeva sempre nello stesso punto, quando Clint Eastwood dice: "I vecchi sogni erano bei sogni... non si sono avverati... comunque li ho avuti".

Era l'unico modo che conosceva per piangere, e ogni tanto sentiva la necessità di farlo. Ma quando la vita lo metteva davanti a un'emozione vera, lui pensava al lavoro, ai dipendenti, ai produttori egiziani e improvvisamente gli tornava il controllo di sé. Di colpo tornava don Mimì.

"Il re delle patate non versa lacrime ma solo assegni" diceva tra sé.

6

Vito Photographer conosceva quell'angolo di Polignano come le sue tasche, perché non c'era coppia di sposi che non volesse essere immortalata a sbaciucchiarsi proprio lì. Si affacciò alla loggia sul mare vicino alla casa di Chiara, per vedere se la scorgeva alla finestra. Per evitare di suonare le telefonò.

«Ciao Vito, dove stai?»

«Sto di fianco a casa tua, praticamente. Se ti affacci mi vedi in mezzo a un gruppo di inglesi.»

Col telefono ancora in mano, Chiara si sporse dalla finestra e trovò l'obiettivo di Vito pronto a immortalarla. Rimase così di stucco, da quell'agguato, che quasi si spaventò. Gli fece cenno di aspettare e rientrò in casa.

Ninella era andata a farsi i colpi di sole, mentre Nancy mangiava le fette integrali con gli occhi persi nel vuoto. S'immaginava davanti alla chiesa, con la gonna con lo spacco e il trucco "moda", la pancia scomparsa, le compagne che la invidiano, Carmelina che le tiene la mano e i ragazzi che sgomitano al suo passaggio per indicare il culo più bello di tutta la Puglia. Altro che masserie, antipasti di mare, Salento e taranta. Gli stranieri sarebbero venuti qui per lei.

Un dubbio però le s'insinuò nella testa.

«Ma non hai notato qualcosa di diverso in me?»

«Ti sei tagliata la frangia da sola?»

«No, Chiara. Poi ti spiego.»

«Dai, dimmelo mo'.»

«Te lo dico dopo che ti sei sposata.»

Si era offesa a morte, Nancy, soprattutto perché questa era la prova che quattro chili e mezzo fossero ancora pochi. Chiara le diede un bacio veloce e uscì: prima il filmino di nozze, poi tutto il resto. In realtà sentiva che la sorella meritava più coccole di quante gliene facesse sua madre, quindi ogni tanto cedeva a qualche carezza. Ma anche lei, se si escludeva il sesso con Damiano, era piuttosto anaffettiva, e lo dimostrava ogni volta che doveva salutare qualche parente, con quel guancia a guancia senza mai un tentativo di bacio. Per Chiara i saluti erano sempre un po' da funerale.

Vito intanto l'aspettava fotografando il mare increspato. Per quanto sembrasse tranquillo, era piuttosto teso, e quando la vide arrivare con l'indice verso le onde, per un attimo non seppe cosa dire e decise di lasciar parlare lei.

«Proprio oggi si doveva alzare, mannaggia. Proprio oggi. Ma dici che non cala?»

«Credo di no, ma a noi non interessa. È nei momenti di difficoltà che la fotografia sa diventare arte! Vedrai che album ti tiro fuori... e poi il film...»

«Quindi le foto verranno bene lo stesso?»

«Io questo vento me lo mangio.»

Lei provò a fidarsi ma qualcosa la lasciava perplessa.

«Senti, mentre aspettiamo il mio operatore, ti posso offrire un caffè così ti spiego cosa avevo intenzione di fare dopo?»

«Va bene, tanto Damiano è sempre in ritardo.»

Vito le toccò il braccio, anzi la sfiorò appena, e lei si sentì a disagio. Alzò gli occhi verso le persiane della signora Labbate – in paese la chiamavano "il Gazzettino di Polignano" – come se avvertisse un ultimo pericolo prima del grande passo. Lui l'intuì perché conosceva le spose meglio dei preti, e si spostò qualche passo più in là.

Si sedettero in un bar vicino alla lama Monachile e Chiara, per cambiare discorso, chiese qualche anticipazione sul filmino che sarebbe stato proiettato al ricevimento: la storia d'amore tra lei e Damiano. Vito era però indietrissimo nel montaggio, così glissò facendo immaginare grandi sorprese.

Gli altri clienti guardavano già Chiara con occhi diversi, ma la salutarono come se nulla fosse. E lei, in quei saluti, cercava di cogliere messaggi cifrati: avrò dimenticato qualcuno? Gli esclusi compariranno in chiesa per farmi sentire in colpa? Ho fatto bene a prenotare la lista nozze da Euronics?

Per tranquillizzarsi chiamò il suo futuro marito, ma il telefono era occupato. Vito aspettò che posasse il cellulare per riprendere una conversazione che non era ancora partita.

«Comunque avevi ragione, Chiara, su quell'alloggio. È stato un affare. Abbiamo già conosciuto i vicini e ci sembrano tutte persone perbene. E soprattutto riservate.»

«Te l'avevo detto! Ma poi la tua ragazza l'hai convinta a buttare giù il muro per fare il living come dicevi tu?»

Disse "la tua ragazza" solo per togliersi da quella situazione.

«Sì, alla fine abbiamo deciso per il living. Una volta devo farti vedere come è venuto, non lo riconosceresti.»

«Quando torniamo dal viaggio di nozze, magari, un pomeriggio ce la fai vedere.»

Incluse anche Damiano, nel discorso, convinta com'era che i camerieri del bar fossero lì a sentire le anticipazioni per spargere la voce. Se non ci fosse stato vento, sarebbe stata una splendida mattina di primavera.

La sposina stava ancora sorseggiando il caffè quando spuntarono Damiano e l'operatore, un uomo di cui era molto orgogliosa: lavorava a Telenorba, per cui avrebbe fatto un servizio simile a quelli che si vedono in televisione.

"Ieri sera hai bevuto" pensò Chiara mentre baciava il fidanzato, ma le tornò in mente sua madre e non disse nulla. Si sedettero anche loro e ordinarono espressini "chiari". Vito, che si sentiva un uomo di mondo – appena poteva accendeva l'iPad – tirò fuori uno story-board, come lo chiamava lui, una sorta di storia a fumetti del filmino che dovevano finire di girare.

«Vedete, abbiamo prima le immagini a casa di Damiano... poi con slow motion passiamo a casa di Chiara... in dissolvenza l'incontro a Capitolo... ma l'apoteosi sarà proprio qui sugli scogli di Polignano. E questo vento sarà una benedizione per dare ancora più pathos alle immagini.»

Chiara, davanti a "slow motion" e "dissolvenza", non capì più niente. Damiano ascoltava senza aver compreso troppo, perplesso ma fiducioso. Si toccava i ricci e faceva sì con la testa. "Con tutto quello che lo paghiamo, sarà bravo per forza."

Nell'enfasi del fotografo, Chiara non riuscì a riconoscere gli stessi tentativi di persuasione che lei usava quando una casa era troppo cara, o aveva difetti, e per venderla ci volevano lunghi discorsi. La bellezza ha sempre bisogno di poche parole.

«E adesso partiamo col primo ciak, va'» disse lui, «che poi l'operatore deve tornare a Conversano per un servizio al tg.»

S'incamminarono verso la scalinata che degradava sugli scogli. C'era talmente vento che ancora un po' volava anche la statua di Modugno. Il Bastione Santo Stefano, più bello di un presepe, si aggrappava alle rocce su cui era cresciuto, in una composizione che sembrava cambiare a seconda della luce. Mentre Vito si allontanava con l'operatore per fare un piano delle riprese, Damiano e Chiara si ritrovarono finalmente soli.

«Hai bevuto tanto ieri?»

«Ma no, sono i miei cugini che mi hanno spinto, sai com'è Cosimo... quello è matto... ma era per stare insieme. Stamattina mi sono scolato un litro di Coca-Cola... per domani starò un fiore.»

Dopo averlo detto, la guardò con un pizzico di terrore: la parola "domani" l'aveva riportato alla realtà. Anche lei ebbe un pizzico di terrore: con quel tempo lì, era meglio tenere i capelli sciolti o semi-raccolti?

«Ninella come l'ha preso sto vento?»

«Sai com'è mia madre... quella sembra la sfinge. Anche se secondo me è più preoccupata di zia Dora, che se non le vengono bene i colpi di sole ne fa una tragedia. E i tuoi come stanno?»

Non gliene importava granché, anzi la mettevano in soggezione, ma non voleva sembrare scortese.

«Mia madre non l'ho vista ma starà nervosissima. Mio padre era strano stamattina, mi faceva domande un po' particolari...»

«Tipo?»

«Ora non ti saprei dire, non proprio domande da mio padre... sai quelle cose sul futuro... ma sono il primo figlio che si sposa, deve essere normale, eh?»

Chiara si zittì. Per quanto fosse pacata, per quanto si sforzasse di gestire lo stress, sapeva che il giorno era vicino ma tutto poteva ancora succedere. Temeva che qualcosa potesse rovinarle la festa, e a nulla sarebbero valse le parole di Mariangela: «Se non ti volevano in famiglia, non ti avrebbero mai regalato il diamantino per Natale».

Si considerava un po' privilegiata a sposare uno dei ragazzi più ambiti del paese, e pazienza se non era proprio un adone. La sua testimone gliel'aveva detto subito: «Se era pure bello, ti chiamavano a fare *Pretty Woman* 2». Lei lo trovava comunque sexy: la balbuzie, anziché preoccuparla, un po' la eccitava. Così come gli incisivi separati, che erano addirittura un valore aggiunto. E poi l'importante era che la portasse all'altare. Ma non perché era ricco, perché era un uomo.

«Senti Damiano, per i tavoli...»

«Ancora con questi cazzo di tavoli? Sono due mesi che tu e mia madre mi state tirando scemo con i tavoli!»

«Lo so, ma se tu mi confermi che tuo fratello viene con la ragazza dobbiamo avvisare subito la sala, che lo spostiamo da Tramontana a Scirocco.»

«Tramontana??? Ma come ti è venuta in mente sta cosa dei venti?»

«Ce l'ha imposta tua madre. Io te l'ho fatto notare e tu non hai detto niente, quindi mo' ti tieni i tavoli con i nomi dei venti, anche perché i cartoncini sono già stati stampati... E fammi sapere di tuo fratello che li devo chiamare...»

«Qui lo dico e qui lo nego. Secondo me alla fine viene da solo. Comunque poi lo sento perché mi deve dire se vuole leggere in chiesa. O lo devi s...»

«...»
«S...»
«...»
«S...»
«...»
«Sapere adesso?»
Il fotografo gli urlò di muoversi e loro interruppero la discussione. Ciuffi d'erba davano un tocco di vita a un paesaggio lunare. Rocce su cui era difficile camminare e impensabile correre, a meno che fossi nato lì. L'orizzonte sembrava più lontano del solito e faceva sembrare la Terra piatta.
Poco più in là, un paio di coppie si facevano riprendere mimando scene di *Titanic*, mentre in lontananza s'intravedevano l'abbazia di San Vito e qualche gru.
Damiano prese finalmente Chiara per mano, stringendogliela come se la volesse rapire, e lei uscì dal freezer della tensione. Volevano entrambi convincersi che sarebbero diventati marito e moglie.
«Baciala! Baciala!» cominciò a urlargli il fotografo, invitandoli a camminare. E poi, mentre li spostava come soldatini: «Quel piede non mi piace così, Damiano... cammina più da uomo! Ora corri a braccia aperte, Chiara, così... così... non avere paura! Prendila da dietro, Damiano, come se fosse Belén! E mo' ballate un valzer sugli scogli... ma non vi muovete troppo ragazziii... sennò non riesco a fare il montaggio sfumato... però ti voglio più sprint Chiara, più sprint! Hai dei problemi, stai pensando a qualcosa... invece amalo! AMALOOO! Così, finalmente così... ora correte uno verso l'altra come se non vi vedeste da un annooo...».
Sembrava un concerto di Renato Zero.
Sopraffatti dal vento e dalla salsedine, e soprattutto dalla voce al megafono di Vito Photographer, i due ragazzi gli obbedivano ciecamente pensando a quanto sarebbero stati poi felici i loro genitori e tutti gli invitati al momento della proiezione. Un cortometraggio che nella versione definitiva sarebbe stato consegnato non prima di un anno, insieme a: filmino originale di due ore; album

fotografico di almeno cento scatti di diversa tipologia e grandezza; due album piccoli per i genitori; tutti i provini scattati; poster con foto per gli sposi; poster con foto incorniciata per i genitori degli sposi; album o fotolibro; foto da distribuire ai parenti. Fondamentale, per la decisione, era stato il "poster con foto incorniciata per i genitori degli sposi".

A un certo punto, però, Damiano disse: «Mo' basta». E lo fece senza esitazione.

Si avvicinò a Vito, gli disse che erano stanchi e che avevano ancora molte cose da fare. Il materiale, secondo lui, era più che sufficiente per l'anteprima da trasmettere in sala. L'altro non ebbe neppure il tempo di offendersi, anche perché pretendeva 2700 euro senza fattura. Poi aveva un debole per Chiara per cui anche l'orgoglio venne meno. Le chiese se aveva ancora mezz'oretta per fare qualche ripresa supplementare, perché a un matrimonio vogliono vedere soprattutto la sposa.

A quella proposta lei non seppe resistere. Era pur sempre un uomo a chiederglielo. E agli uomini, come le aveva insegnato sua madre, non si dice mai di no.

7

«Pronto, mamma?»

«Dove stai, Orlando?»

«A casa. Ma non c'è nessuno.»

«Nemmeno Mimì?»

«No, nemmeno papà. Sono sceso anche in tavernetta ma non c'è.»

«Sarà andato in campagna, vedrai. Io ho ancora un po' di cose da fare, ma dimmi: viene o non viene la tua ragazza?»

«Non è proprio la mia ragazza, ma'... ci stiamo frequentando... ma è contenta assai di venire.»

Matilde ebbe il tipico attacco di mutismo che si prova dopo una vittoria insperata.

«Pronto ma'?»

«Ci sono, ci sono.»

«Che c'è, hai paura che vi faccio fare brutta figura?»

«No, basta che all'ultimo non dica che non viene, che ci rimango male.»

«Tranquilla, Daniela è una ragazza seria.»

«Ma è di Bari?»

«Di Lecce.»

«Salentina l'hai trovata. Brava gente.»

«Mamma, ci stiamo solo frequentando.»

«Non importa, Orlando, basta che domani venite insieme, che

ci sta mezza Puglia. Vuoi che ti prendo una stanza anche a voi al Giovì?»

«No, chiedo a papà se possiamo andare alla villa al mare.»

«Come vuoi. Io invece ora sto andando da loro perché lo scollo della sposa non mi convince tanto.»

«Ma, come, il giorno prima ti fai venire il dubbio?»

«Tu pensa a te. Ci vediamo dopo.»

Conosceva troppo bene sua madre, Orlando, per non intuirne i sospetti. In fondo sapeva che nessuno aveva veramente creduto alla storia di una ragazza last minute. Ma i matrimoni sono delle grandi recite, e quella comparsata avrebbe reso tutti più sereni, a cominciare dallo sposo.

Damiano Scagliusi non poteva permettersi un fratello gay. Per fortuna non sapeva che già qualcuno, quando vedeva Orlando, lo chiamava *la biunda*. Era stato avvistato in macchina a Torre Incina, di notte, e quella era una prova più che sufficiente.

A sua madre invece le voci erano arrivate in modo più subdolo, celate dietro la curiosità: «Ma quando se la trova una ragazza?». E lei a difenderlo come poteva, dicendo che aveva "solo" ventiquattro anni, che si divertiva a Bari, che i tempi erano cambiati, che lui non aveva bisogno di mettere su famiglia perché ormai era un ragazzo di città e là funziona tutto in un altro modo.

Ancora euforica per la telefonata di Orlando, Matilde raggiunse casa della sposa a passo spedito, imbroccando i vicoli meno battuti per non essere fermata dai conoscenti che volevano sapere. Era un labirinto che lei percorreva ogni volta con aria di sufficienza, chiedendosi come facessero a vivere tutti così appiccicati gli uni agli altri. Non aveva ancora accettato che suo figlio si fosse scelto una *du paeis vecchi'*, una che viveva dentro *'nu iouse* del centro storico, in quelle case piene di scale e di umidità. Lei invece abitava nel suo "Petruzzelli" a due piani, vicino ai semafori, tra marmi, lampadari di Murano e specchiere dorate.

Nancy, in assenza di mamma e sorella, la fece entrare indossando il sorriso delle migliori occasioni, anche se aveva ancora un canino da latte. La suocera che piomba in casa senza preavviso la devi far sedere subito: un caffè, un'orzata, due fette integrali? Pensò che se l'avesse presa in simpatia magari un giorno l'avrebbe nominata sua unica erede!

La donna sorrise e fu costretta ad accettare un'orzata. Voleva la sposa o la consuocera. La vittima o la nemica. Ma Chiara stava ancora girando il prefilm – così le aveva detto – e sua mamma era andata a fare i colpi di sole. Matilde si guardò intorno a ispezionare ogni soprammobile come fosse un'addetta ai pignoramenti. Non ce n'era neppure uno della Thun. Ma era una casa a prova di specchio e la cucina era più bella della sua, perché si affacciava sul mare.

«Nancy, so che ti sto disturbando ma vorrei rivedere il vestito di mia nuora.»

«Quale vestito?»

Nancy fece finta di non capire.

«Come quale vestito? Quello da sposa, che abbiamo ritirato ieri a Brindisi e che ho pagato di tasca mia.»

Avrebbe avvisato sua madre in qualsiasi altra circostanza, ma dinanzi alla First Lady – così era soprannominata a Polignano – la povera Nancy non ebbe la forza di opporsi. L'accompagnò in camera di Chiara. Al centro, esposto sotto gli occhi di Ridge, l'abito era indossato da uno dei manichini che Ninella usava per i suoi lavori di sartoria. Quel vestito era il risultato di una lunga trattativa fra la sposa, la suocera e lo stilista Alessandro D'Amico, uno dei nuovi talenti della sua terra, con clienti da tutto il mondo. Con le spose lui aveva una regola: tu gli raccontavi chi eri, cosa sognavi, quali erano i tuoi film e le tue canzoni, e poi faceva di testa sua, anche se ti coinvolgeva in molte decisioni. Chiara era felice perché questa scelta le aveva evitato di accumulare dubbi su dubbi, perché Alessandro D'Amico era una garanzia. L'importante, però, diceva lui, era che per il trucco e parrucco si affidasse al suo amico Pascal, che di base si trovava a Bari, e con cui condivideva la stessa visione delle cose. Ma se Chiara era d'accordo su tutto, fu però la sua futura suocera a complicarle la trattativa.

Una telenovela andata avanti per settimane con lunghi tira e molla per il tessuto, i ricami, e soprattutto la scollatura. E quando ogni cosa era stata definita, quando Chiara non faceva altro che specchiarsi e sognare nell'atelier, Matilde aveva imbastito una vera e propria guerra sul prezzo che aveva quasi mandato all'aria la vendita. Alla fine era riuscita a spuntarla per 5200 euro, davanti agli occhi attoniti di Chiara. «Ma sono io che pago e sono io che tratto» diceva sottovoce. E lei zitta.

Matilde squadrò di nuovo l'abito, il piccolo strascico, sfiorò le perline della manica, e per un attimo si tranquillizzò. Ma quello scollo non la convinceva ancora del tutto. L'aveva fatto notare già due volte, ma Chiara aveva delegato la sua difesa allo stilista.

E ora che il traguardo era vicino, Matilde non se la sentiva più di rischiare. "Uno scollo troppo ardito fa cornuto il marito" si diceva al paese suo. Nancy la guardava cercando d'interpretarne il pensiero, e alla fine capì che qualcosa non andava.

«Appena tornano, digli di chiamarmi.»

«*Vabbù*, signora.»

«Questo scollo davanti non va bene... e loro lo sapevano già da mo'! Io aggiungerei un po' di pizzo, e penso che Ninella lo possa fare in quattro e quattr'otto.»

«Ma non le può telefonare così glielo dice di persona?»

«Ora non posso, semmai ci sentiamo dopo. Ma sbaglio o ti sei dimagrita, signorina?»

L'odio di Nancy si trasformò in amore istantaneo. La salutò con due baci e un abbraccio troppo calorosi, che vennero accettati con un po' d'imbarazzo. Quando chiuse la porta, invece di chiamare sua madre, riprese a cantare *Yes Jesus Loves Me*. Voleva godersi quella gioia solo per sé, tanto le altre donne di casa sarebbero rientrate a momenti.

Ninella avrebbe tardato ancora un po', invece.

Dopo anni senza notizie, quando aveva la convinzione di essere riuscita – se non a dimenticare – almeno a rimuovere un ricordo, ecco che si trovava a rivivere il momento più difficile della sua vita. Quello che l'aveva costretta a crescere in fretta, a sacrificarsi, a chiudersi a guscio col mondo, senza lasciare entrare più nessuno, nemmeno le sue figlie. Quello che aveva fatto di lei una donna di cui è divertente sparlare, proprio perché non dà mai occasioni di pettegolezzo. Tutta casa e lavoro, a volte in chiesa, ma sempre quando non c'era nessuno. Poche amicizie. Poche visite dei parenti. Un po' di televisione. Qualche sigaretta fumata di nascosto.

Appoggiato alla vetrina, di fianco all'adesivo con i prezzi di Lucia Coiffeur, Ninella aveva rivisto suo fratello. Franco Torres.

Il criminale.

Il contrabbandiere.

Uno dei pochi fessi che si era fatto arrestare a Cala Paura.

L'uomo che le aveva buttato all'aria il destino la supplicò di ascoltarlo con la voce rotta dall'emozione. E lei, per l'ennesima volta, disse sì.

8

Fu l'odore del mare a riempire i silenzi di Chiara.

I suoi occhi cercavano conforto tra le rocce che amava e che conosceva bene. Guardava San Vito in lontananza, e le sarebbe piaciuto salire su una barca e partire. Verso Nord, magari. Le avevano detto che Vasto era molto carina, o Termoli. Se avesse avuto coraggio sarebbe andata in Spagna, in Costa Brava, dove non era mai stata. Le case le stavano svendendo, e lei con la sua esperienza avrebbe aperto un'attività, dimostrando a tutti che aveva talento. Oppure sarebbe diventata una wedding planner: avrebbe organizzato matrimoni, magari quelli gay, il cui business era in ascesa e c'era solo da guadagnare. Con la sua esperienza avrebbe fatto faville, se solo Mariangela l'avesse aiutata, che anche lei era brava con la parlantina: già si vedeva a consigliare abiti gialli per le spose e blu elettrico per gli sposi. I gay per lei erano sempre a colori.

Si sarebbe arricchita e avrebbe continuato a vivere in quel mondo fatto di confetti e vestiti. Poi avrebbe comprato un attico a sua madre e mandato sua sorella a studiare gospel a New York. Nancy Casarano sarebbe diventata una stella.

In realtà, Chiara fantasticava perché le stava venendo paura che le sue nozze non riuscissero come aveva sognato. Quando cerchi la perfezione puoi solo sbagliare, aveva letto su matrimonio.it, e già i nomi dei tavoli erano un piccolo flop. Come se non bastasse, Damiano era ancora stordito dall'alcol e Vito Photographer la metteva vagamente in soggezione.

Cercò di concentrarsi sulle ultime riprese, mentre il suo futuro marito era andato a fare un riposino in vista delle prove in chiesa.

«Ora che sei sola, Chiara, mi devi dire che cos'hai. Non sei convinta delle scene che abbiamo girato?»

«No, sulle scene sono convinta.»

«Se vuoi ti metto qualche effetto speciale...»

«No, tranquillo, Vito. È solo che sto pensando a domani e mi sembra che siamo ancora così indietro su tutto. È quasi due anni che mi preparo e rischio di arrivare in ritardo.»

«Io ne ho viste tante di spose. E ti posso dire che l'unico modo per godersi la festa è farsela sotto il giorno prima.»

«Dici?»

«Hai presente quel mescolino che ti prende alla pancia?»

«Oddio, il virus delle cozze?»

«Ma no, parlo dell'emozione... ascolta la tua paura, dalle retta. E ricordati che un giorno ti mancherà.»

«Quindi è normale che ora creda di fare una cazzata?»

Si pentì subito di averlo detto, perché capiva le implicazioni delle sue parole. Si era talmente concentrata sulla festa che non aveva preso in considerazione il vero significato di quell'evento: una nuova vita a due.

Con quella frase, aveva eliminato l'ultima barriera che c'era tra lei e Vito: il feeling immediato tra loro era stato il vero motivo di una scelta tanto difficile. Altro che "poster con foto incorniciata per i genitori degli sposi": la ragione per cui Chiara si era orientata su quel fotografo era pura, inconscia attrazione. La tranquillizzava solo il fatto che anche lui stesse per sposarsi, e la casa che gli aveva venduto tra Noci e Gioia del Colle sarebbe stato un nido perfetto. Questo pensiero la sollevò, ma lo sguardo di lui la fece tornare in mezzo al mare.

«Tutte le persone, prima di sposarsi, temono di fare una cazzata. Chi non lo pensa non è innamorato o si sposa per interesse. Ma non è il tuo caso, tranquilla. Le conosco io le spose.»

Per la prima volta Chiara non s'immaginò con lo strascico ma nuda, in balia dei suoi dubbi. L'operatore di Telenorba la riportò alla realtà. Guardando in camera, dovette dire la prima cosa che aveva pensato quando aveva visto Damiano, un po' come se fosse nel confessionale del "Grande Fratello". Avrebbe voluto ammettere: "È il classico sfigato che piace a me", invece rispose: «Che bei capelli...».

Vito Photographer s'ingelosì. Lui che era pelato, si sentì sminuito, e per un po' le piantò il muso. Si salutarono senza cerimonie, sapendo che si sarebbero sentiti di lì a poco.

L'unico a guardarli perplesso era l'operatore, ma la fretta di tornare a Conversano non gli lasciò neppure il tempo di porsi qualche domanda.

A tutt'altro, invece, pensava lo sposo. Appena rientrato a casa aveva ritrovato suo fratello nella "sala degli specchi" davanti al televisore.

Era vero.

Gliel'aveva giurato.

Si sarebbe presentato alle nozze con una donna. Un'amica di breve frequentazione, certo, ma pur sempre una donna. Daniela. Una donna vera. Nata a Copertino, vissuta a Lecce, conosciuta a Bari. Salentini, gente perbene.

Per una volta, però, i dettagli non erano importanti: si sarebbe presentata al fianco di Orlando, e questo bastava. *Daniela*, come la canzone di Julio Iglesias che piaceva tanto a sua madre.

Lo sposo avrebbe voluto mettersi a saltare per casa, ma si limitò a un whatsapp a suo cugino: "Orlando domani viene con una donna... miracolo!!!".

Immaginò come si sarebbero sentiti i suoi genitori, suo padre in particolare, e così, con un po' d'imbarazzo, abbracciò suo fratello.

Fisicamente erano molto diversi, nel senso che quanto Damiano era mediterraneo, Orlando sembrava normanno: occhi turchesi, capelli chiari, il fisico asciutto di chi fa addominali appena può. Durante quel gesto esagerato – e per lui interminabile – si mise a guardare il pavimento. "Ce la devo fare, andrà tutto bene, Daniela verrà, me l'ha promesso." Chissà se avrebbe fatto in tempo a rivedere l'Innominato. L'uomo di cui non sapeva né poteva sapere il nome. Il monopolitano che poteva chiamare solo di pomeriggio e solo quando si trovava nei pressi di Polignano. Vietati i messaggi. Vietate le chiamate da numero anonimo. Vietate le chiamate per sapere come stai.

E mentre per la prima volta sentiva suo fratello vicino a sé – che balsamo usi? – Orlando pensava a quanto sarebbe stato bello fare sesso con l'Innominato in un letto.

«La casa al mare è già aperta?»

«Credo di sì.»

«Posso chiedere a papà se me la lascia?»

«Certo. Quelli di fuori li abbiamo sistemati tutti in albergo, perché se li mettevamo lì sai quante critiche?»

«Quante?»

«Dai, è un modo di dire, non sfottere. Quando t'interessa la villa?»

«Magari domani potevo andare a dormire là con Daniela.»

«Se volete vi potete fermare alla masseria dove facciamo il ricevimento. Noi abbiamo la suite nella torretta, ma abbiamo preso anche qualche stanza per Cosimo e gli altri cugini.»

«Preferisco starmene a casa nostra, sai, è da poco che ci frequentiamo.»

«Allora fai bene... sono proprio curioso di conoscere questa Daniela.»

Sapevano tutti e due che non poteva essere vero, ma entrambi facevano finta di crederlo. Anche se Damiano, nella sua ingenuità, un po' ci sperava davvero.

«È una ragazza semplice, come noi. E all'università è una secchiona. Anche se è molto preoccupata di non essere all'altezza, domani, davanti a trecento persone.»

«Non me lo dire a me, che con questo vento Chiara sta già in crisi. Ma non ce l'hai una foto?»

Orlando si aspettava la domanda, e voilà: lui e Daniela abbracciati. Gay lui, lesbica lei, avevano appena deciso di "unirsi" nelle occasioni pubbliche per togliere le rispettive famiglie dall'imbarazzo. Peccato che quella fosse la prima volta, con tutte le incognite del caso. Avevano fatto qualche prova a Bari – si erano sbaciucchiati in pizzeria – ma erano sempre finiti a fare i cretini.

Damiano riguardò l'immagine sull'iPhone e la studiò come se fosse l'identikit di un ricercato: i capelli troppo spettinati e la maglia un po' larga, ma se si fosse messa un bel vestito ce la poteva fare. «Mi raccomando l'eleganza» non riuscì a tenersi. Orlando lo rassicurò con un nuovo abbraccio che gli risultò ancora più forzato. Un po' gli faceva pena, un po' lo detestava. Lo trovava limitato in tutto, senza fantasia, e troppo vittima del cugino. Gli chiese dove fossero le chiavi della villa senza guardarlo negli occhi.

Damiano salì al piano di sopra, attraversò il "corridoio Thun" – la madre faceva la collezione di animaletti e ne cambiava periodicamente la disposizione – entrò nello studio, frugò con timore nei cassetti, e alla fine porse a Orlando che l'aveva seguito il mazzo di chiavi insieme al foglietto con le istruzioni per ogni casa di proprietà: luce, gas, acqua calda e cosa fare in caso di blocco caldaia. Don Mimì era un uomo passionale, ma organizzato. Sulla sua scrivania, perfettamente in ordine, campeggiava una foto con loro due da piccoli, che gli tenevano la mano, scattata sugli scogli di Ripagnola. Si fermarono a guardarla, ma non espressero nemmeno un commento.

Orlando mise le chiavi in tasca come se si trattasse del numero dell'Innominato. Suo fratello gli vide gli occhi brillare e questo gli diede sicurezza. "Che strano che Orlando sia così biondo." Era la prima volta che se lo domandava.

9

I colpi di sole appartenevano già al passato, così come l'attimo di terrore in cui ti guardi allo specchio e capisci se ti piaci o no. Ovviamente più ci metti, meno ti piaci. Sapeva benissimo che era stato un azzardo farli all'ultimo minuto, ma voleva innanzitutto stupire, a costo di rischiare. Fu invece lei a essere stupita, e tanto, quando allo specchio, subito dopo i capelli, aveva visto suo fratello fuori dalla vetrina. La guardava aspettando solo che lo riconoscesse. Lei aveva cercato di mantenere la calma, aveva detto a Lucia che andavano benissimo, se li era fatti cotonare e aveva chiesto di aggiungere un po' di lacca per prendere tempo.

Erano passati davvero troppi anni e non sapeva che fare.

Quando uscì, il primo pensiero che ebbe fu: com'è invecchiato. Aveva l'aria di chi si è sempre alzato troppo presto senza mai godersi una serata. E dire che, prima dell'arresto, suo fratello viveva quasi solo di notte. Di giorno bighellonava per il paese, o a Monopoli. Di sera, quando arrivava qualche carico di sigarette dal Montenegro, era sempre impegnato: scaricava, guidava, faceva il palo, raccoglieva i soldi delle "puntate", rischiava a seconda delle necessità e poi andava a festeggiare. Guadagnava soldi facili che spendeva in cose futili, per ritrovarsi in manette senza nemmeno potersi permettere un avvocato. Ora che Ninella ce l'aveva di fronte, quello che era stato suo fratello, dopo anni in cui aveva sognato di umiliarlo, dalla bocca le uscì solo: «*Ce l'è venout a fe'?*».

«Avevo voglia di abbracciarti. So che domani si sposa mia nipote. E ho sentito il dovere di venire qui.»

«E ti presenti mo'?»
«*U' sacc'(ie)...*, Ninella.»
«Vedi di sparire.»
Aveva ripreso a camminare e suo fratello le andava dietro come un venditore di rose.
«Che fai, mi segui? *Venatinn'*, sparisci da qui...»
«Dai, fermati, Ninè.»
Erano anni che nessuno la chiamava in quel modo. Così, frastornata e confusa, e soprattutto preoccupata che qualcuno li sentisse, gli chiese di seguirla fino a largo Ardito.
Si sedettero su una panchina a ridosso del lungomare, a pochi passi da dove un tempo si tuffavano i contrabbandieri inseguiti dalla polizia. Ninella si dimenticò temporaneamente dei colpi di sole, che peraltro reggevano alla grande grazie alla lacca di Lucia Coiffeur, e accettò di riaprire il suo passato doloroso. Franco sembrava straordinariamente calmo, un uomo che non cerca più il perdono ma vuole essere in pace almeno con se stesso.
«So di averti rovinato la vita, Ninè. Ma ero un fatuo, non ci sono altre parole. Ero un fatuo. Volevo fare la bella vita come gli altri, che si facevano un sacco di soldi col minimo sforzo, tanto i carabinieri non si sarebbero mai scontrati con noi.»
«Peccato che a un certo punto lo Stato ha deciso di intervenire...»
«... E il primo che hanno preso sono stato io. Ma io non valevo un cazzo, Ninè! Ho dovuto pagare per un sacco di gente.»
Per quanto parlassero a bassa voce, un piccolo crocchio l'aveva riconosciuto e faceva illazioni da lontano.
«Per colpa tua Mimì mi ha dovuto lasciare.»
«Se avesse avuto le palle, ve ne sareste andati in un altro paese.»
Fu una pugnalata al cuore. Non aveva mai avuto il coraggio di dirselo, ma in fondo Ninella sapeva che era così.
«Era troppo giovane...»
«Sì, ma mettiti in testa che la sua famiglia non vi ha fatto lasciare perché era onesta, ma solo per pararsi il culo.»
«Che vuoi dire?»

«Pure loro puntavano sui carichi e si sono fatti i soldi senza rischiare, mandando noi coglioni allo sbaraglio... anche se io non ci ho mai avuto a che fare. E quando è venuto fuori tutto il casino, hanno deciso che Mimì ti doveva mollare solo per rifarsi una reputazione. *E capeit 'u fatt?*»

«Perché non me l'hai raccontato prima?»

«Me l'ha detto in carcere l'altro fesso che hanno preso con me. Poi tutte le volte che ti ho scritto non mi hai risposto. Non sei mai venuta a trovarmi. E da quando sono uscito mi hai sempre buttato giù il telefono.»

«Ero incazzata nera.»

«Mi spiace, Ninè. Mi spiace assai.»

«Come te la sei cavata in questi anni?»

«Non ho mai fatto il nome di un pezzo grosso, ma solo perché avevo paura... e quando sono uscito mi ha ricompensato. Mi ha avvicinato un tipo con una borsa piena di soldi dicendomi: "Grazie di tutto". Lo so che erano sporchi, ma che dovevo fare? Mi sembrava di aver già pagato abbastanza...»

A volte solo il tempo rende lucidi e razionali.

«E ora che fai per campare?»

«Sto a Locorotondo, lavoro in un'azienda agricola e sto bene. C'ho qualche storiella ma non mi sono sposato...»

«Perché?»

«Non c'è sempre una risposta ai perché.»

I due stavano seduti un po' distanti e si parlavano senza avere il coraggio di guardarsi in faccia. Più passava il tempo, più Ninella si faceva piccola. Quelle parole l'avevano sconvolta. Anche gli Scagliusi avevano avuto a che fare con il contrabbando, e il loro veto sul suo fidanzamento con Mimì era stata una mossa di pura facciata. Come aveva potuto non rendersene conto in tutti quegli anni? Si era concentrata solo sul proprio dolore, e non aveva voluto vedere. Finalmente aveva ricostruito la tessera finale di un puzzle che non era mai riuscita a completare e questo dissolse il suo rancore, perché Ninella non aveva mai avuto mezze misure.

Suo fratello, in fondo, non aveva più colpe di altri. Trovò il coraggio di guardarlo e si morse le labbra. In fondo era una donna che aveva un disperato bisogno di calore.

«Ho saputo che poi ti sei sposata con un ferroviere e hai avuto due figlie... tu avevi sempre sognato una femmina, e te ne sono arrivate due.»

«Come hai fatto a saperlo?»

«Un mio collega è di Polignano e ogni tanto, quando sapeva qualcosa, me lo veniva a dire...»

«Ti avrà detto anche che sono rimasta vedova.»

«Lo so, ma hai le figlie. Nella vita ti restano solo i figli.»

Fu dopo quella frase che Ninella si sedette un po' più accanto a lui.

«È stato il tuo collega a dirti che si sposava Chiara?»

«Sì, sempre lui... l'altro giorno mi fa: "È *ternet* finalmente che si sposa tua nipote?". E allora ho capito che non aveva più senso aspettare. Mi ha detto pure che lo sposo è il figlio di Mimì... era destino, evidentemente.»

«Che vuoi da me?»

«Avevo solo voglia di chiederti scusa. Di dirtelo in faccia, però. E se non ti crea problemi, domani vorrei venire a vedere la sposa, almeno in chiesa...»

"Almeno in chiesa" era il più grande dei ricatti, e lei lo sapeva.

Non voleva dire sì, non avrebbe mai voluto, ma ormai era tardi, ed era stanca. Il rancore a oltranza ha bisogno di resistenza fisica, la volontà non basta. E poi suo fratello, malgrado le colpe, le aveva rivelato una verità che non aveva mai immaginato. Lei invece aveva dovuto lavorare il triplo per togliersi di dosso il soprannome di "contrabbandiera". E a cosa era servita tutta quella fatica?

«Ti prego, *famm' v'nù* solo in chiesa...»

Franco vinse la timidezza e le accarezzò i capelli.

«Piano! Che ho appena fatto i colpi di sole...»

Stava già tornando la solita Ninella.

«Vedo che non sei cambiata.»

«Eri tu l'unico che doveva cambiare. Io ho sempre avuto la testa a posto.»

«È vero, Ninè.»
«Non è che hai bisogno di soldi?»
«Non avrei mai avuto il coraggio di chiederli a te.»
Dopo averlo fulminato con lo sguardo, Ninella gli disse di seguirlo a casa. Non c'era tempo e le decisioni dovevano essere prese in fretta: e lei l'aveva quasi perdonato. Un perdono che era anche, e soprattutto, una vendetta nei confronti degli Scagliusi. Intanto tutti avevano visto, molti lo avevano riconosciuto, ma le voci erano solamente sui colpi di sole – le stanno proprio bene, le stanno proprio male – più che sul fratello galeotto.
La vera invidia nei confronti di Ninella era per il suo fascino innato. Le belle donne che fingono di non saperlo saranno belle fino alla fine. E Ninella, a cinquant'anni, malgrado qualche chilo e qualche ruga di troppo, avrebbe potuto tenere un corso di seduzione per principianti. E dire che solo la sera, ogni tanto, metteva la Cera di Cupra.
Prima di farlo entrare in casa, gli fece un breve riassunto dei suoi ultimi anni, anche se Franco – per le vie traverse della valle d'Itria – aveva saputo molte cose. Ninella invece si era preclusa ogni possibilità di avere sue notizie, anche quando qualcuno aveva provato ad accennarle la questione. «Io non ho parenti» rispondeva, senza sentire oltre.
Nell'ordine gli disse che: dopo il suo arresto, erano stati per alcuni mesi chiusi in casa; l'anno successivo, durante un matrimonio, aveva conosciuto Giuliano, un ferroviere leccese con un cuore grande così; si erano sposati perché era rimasta incinta di Chiara; dopo otto anni, era rimasta incinta di Nancy; ma non era passato molto tempo che era rimasta vedova.
Evitò con cura di confessargli che aveva una relazione sessuale con un uomo sposato: il rappresentante della Bofrost. Quando veniva, una volta al mese, dopo la consegna di Cremosini, cordon bleu e Chicken Pops, si fermava sempre per un "caffè", come lo chiamavano loro al telefono, riuscendo a eludere ogni volta i sospetti della signora Labbate.

Soprattutto, Ninella gli ripeté che dopo il suo arresto era finita anche la storia con Mimì: "Ninella Torres non è per te" gli avevano detto. E l'incantesimo si era rotto.

Da quel momento la sua bellezza aveva smesso di brillare, e il matrimonio non la guarì. Neppure la maternità riuscì a farle dimenticare del tutto quell'ingiustizia che non pensava di meritare, idealizzando un amore impossibile che l'aveva portata alla solitudine. Lentamente, mise la sua vita in stand-by. Si rinchiuse in casa ad allattare e lavorare, usando le pause per guardare nel vuoto, o il mare, che nella sua testa avevano lo stesso colore.

Alla fine del racconto, Franco le chiese se poteva abbracciarla. Lei ci pensò un attimo, storse la bocca e annuì col capo. Poi aggiunse solo: «Guai se mi sfiori i capelli».

Infilò la chiave nella toppa ed entrò senza bussare. Nancy era in ciabatte che faceva addominali e cantava *Figli delle Stelle*. Quando vide Franco, pensò che sua madre si era finalmente fidanzata. Era un bell'uomo, anche se un po' vecchio, e le assomigliava.

«Nancy, questo è zio Franco, ricordi? Quello di cui ti avevo parlato.»

Nancy gli diede la mano pensando: "Mi conosce già magra!". Ma riuscì solo a dire: «Carina la tua camicia...».

Ninella la guardò pensando: "Non hai preso da me" e mise su la moka. Poi lo fece accomodare sul divano, e cercò di rilassarsi. Il silenzio venne interrotto dai convenevoli, che se imbarazzati sono peggiori dei silenzi.

Franco si tranquillizzò solo quando Ninella gli mise due cucchiaini e mezzo di zucchero nel caffè. Due cucchiaini e mezzo. Non si era dimenticata di lui, e questo valeva un po' come un perdono.

«E mo' dimmi: ce l'hai un bel vestito?»

«Ne ho due.»

«Allora domani vieni anche alla festa con noi, ti faccio sistemare al tavolo. Sarai di nuovo nostro.»

«Ma sei sicura?»

«Certo che sono sicura. O si perdona o non si perdona. Devo

solo avvisare la mia consuocera che è una rompipalle e coi tavoli ci ha tirati scemi.»

«Guarda che a me basta venire in chiesa.»

«Se vieni in chiesa devi venire anche alla festa. E a questo punto, se Chiara se la sente, la accompagni tu all'altare. Lo devo solo dire a mio cognato che sta arrivando da Castelfranco.»

Nancy s'intromise nella conversazione cambiando tono e canzone. Ninella sapeva che, quando partiva coi gorgheggi, sua figlia le doveva fare una confessione. Era una specie di allarme inconscio.

«C'è qualcosa che non va, Nancy? Sono tutta orecchie.»

«Non so come dirtelo...»

«Allora dimmelo in italiano, visto che sei così brava nei temi.»

«È passata la First Lady e ha voluto rivedere il vestito...»

«E gliel'hai fatto vedere?»

«Sì, che dovevo fare?»

«Hai fatto bene. E che ha detto?»

«Dice che è troppo scollato davanti, che lei l'aveva detto. E ti chiede di aggiungere un po' di pizzo.»

Un po' di pizzo sul décolleté in cambio di suo fratello al matrimonio.

Dopo averci pensato un po', Ninella barattò mentalmente lo scambio e si sentì quasi sollevata. Sarebbe stato molto più facile informare la consuocera di un ospite che loro non avrebbero gradito, in cambio di una correzione all'abito. Soprattutto perché la simpaticona era andata quattro volte fino a Brindisi con Chiara per fare le prove, rompendo le scatole a tutti ma trattando solo sul prezzo.

In quel capriccio dell'ultimo minuto, Ninella ci vedeva invidia, frustrazione e abuso di potere, e per questo le vennero di nuovo i nervi. Ma aveva imparato che c'è una sola donna al mondo a cui non si può mai dire di no. La madre dello sposo. La suocera.

10

Zia Dora chiamò Ninella che era già a Foggia giusto per metterle un po' di agitazione.

Il viaggio da Castelfranco era stato ovviamente più veloce del previsto, il traffico assente, in autogrill offrivano la colazione a metà prezzo e lei non era per niente stanca. Aveva pure vinto cinquanta euro col gratta e vinci, così, con un biglietto soltanto.

Ninella le disse che non poteva parlare. In realtà, quando la cognata faceva il fenomeno, a lei saltavano i nervi. Cominciò però ad anticiparle che dopo anni aveva rivisto suo fratello e stava per presentarlo a Chiara che, appena rientrata in casa, era di fronte a lei e la fissava incredula. Mise giù prima che zia Dora attaccasse con una sfilza di domande: "È invecchiato?", "Ruba ancora?", "Vorrai mica invitarlo al matrimonio?".

Chiara guardò zio Franco e riconobbe gli occhi di sua madre. Le tornarono in mente quelle storie che aveva sentito su di lui, il contrabbando di sigarette e lo scandalo in famiglia.

Prima di tutto, però, pensò al pericolo. Uno zio così forse non era da esibire davanti alla Puglia intera. Ma se Ninella l'aveva accolto in casa, lei poteva solo prenderne atto e accettarlo. Per quanto la temesse, per quanto non la capisse, si fidava ciecamente di sua madre, e le sembrava contenta. Ed era buffa con quei colpi di sole incrostati di lacca, che la rendevano un po' antica.

Zio Franco guardava sua nipote come i cani che ti si accollano a fine pasto, ma lei pensava soltanto alle eventuali conseguenze: a quale tavolo lo avrebbe sistemato? Cosa avrebbero detto i polignanesi? Come l'avrebbero presa gli Scagliusi? Ecco perché le nozze possono essere traumatiche: all'ultimo spunta sempre qualcuno che dovevi invitare.

La più felice era Nancy, al settimo cielo perché Tony le aveva mandato un messaggio dandole un gancio dopo l'allenamento. E lei aveva iniziato il countdown per quando, nel trullo, avrebbe detto "bye bye verginità". Evidentemente era già cotto, e lei lo avrebbe conquistato con una performance da urlo. Perché anche se non aveva esperienza diretta, sapeva tutte le cose da fare e da evitare, a cominciare dall'aglio. Per decidere cosa mettersi, chiamò Carmelina, che era a scuola, e dovette rinchiudersi dieci minuti in bagno per poi deliberare leggings e maglia nera scollata, che ti fa magra e sexy.

Ninella nel frattempo era tornata padrona della situazione e faceva finta di sistemare le sedie. Aveva alzato il tono di voce al telefono perché voleva che Chiara sentisse, e così si sarebbe risparmiata una scena d'imbarazzo a presentarle lo zio, che a lei ste cose la facevano commuovere. Tirò fuori un sorriso, che le venne un po' forzato, si aggiustò la camicetta e improvvisò una specie di arringa: «Lui è mio fratello Franco ed è giusto che tu lo conosca. Ha fatto un sacco di cazzate, ma sarebbe una cazzata continuare a fare finta che non esista. Anche perché oggi si è fatto coraggio ed è venuto a chiedermi scusa... dopo tanti anni... e mi ha chiesto se domani poteva venire a vederti in chiesa... che ne dici, Chiara?».

«...»

«Cos'è, sei muta?»

«No, sono un po' sorpresa...»

«Se non lo vuoi, lo zio capirà.»

«No, mamma, scherzi? Se a te fa piacere, per me... non ci sono problemi...»

«A me fa piacere.»

Chiara era sul *Titanic* dopo aver preso l'iceberg.

«E se ti accompagnasse anche all'altare? Che ne pensi? Così facciamo vedere a tutti che siamo orgogliosi di lui.»

Chiara era sul *Titanic*, dopo aver preso l'iceberg, e non vedeva più DiCaprio all'orizzonte.

«Magari dovremmo prima chiederlo a zio Modesto e parlarne a mia suocera, che sai com'è quella...»

«Non ti preoccupare, a loro ci penso io.»

Per un attimo la sposa s'immaginò in piazza dell'Orologio, abbracciata a sua sorella mentre gli Scagliusi urlavano allo zio: "In carcere a Turi devi tornare! A Turi!". Era pur sempre un carcere da cui erano passati Gramsci e Pertini, ma questo non la sollevò. Perché zio Franco aveva aspettato proprio l'ultimo giorno per chiedere scusa? La tempistica dei parenti è sempre imprevedibile: quando meno te lo aspetti, ritornano, spariscono o si offendono.

Chiara era una ragazza troppo sincera per fingere, e faceva tenerezza. Avrebbe voluto un parere di Mariangela, ma quella mattina lei doveva chiudere il compromesso per la vendita di una masseria. Così agì da sola e disse le prime parole che le vennero in mente: «Si vede che sei il fratello di mamma».

Franco e Ninella si guardarono, interpretandolo come un complimento. Certo non era il giorno adatto per prendere nuove decisioni, ma Chiara non aveva intenzione di sfidare sua madre proprio all'ultimo. Abbracciò lo zio senza crederci – il suo abbraccio da funerale – più preoccupata che contenta. Ninella la conosceva troppo bene per non leggerne gli sguardi.

«Dobbiamo parlarne agli Scagliusi, lo so, è inutile che fai quella faccia.»

«Io non sto facendo nessuna faccia, ma'... sono solo sorpresa.»

Zio Franco provò un'infinita vergogna. Era stato tutto troppo facile. Quindi non si muoveva, aggrappato a quel fondo di caffè come se lì ci fosse scritto il suo futuro. Ma Ninella ormai aveva deliberato: "Porterai mia figlia all'altare".

Chiara sentiva uno strano pericolo nell'aria, e cercava disperatamente di sorridere. Il sorriso era il suo salvaschermo quando era in difficoltà. L'arrivo di un sms la gettò in un nuovo disagio: "È un piacere farti le foto. Avrai un servizio da regina. Ci sentiamo dopo, se vuoi. Vito".

Appoggiò il telefono su un mobile lontano da tutti, e per un po' lo lasciò lì. Fu in quel momento che sua madre le disse delle modifiche al décolleté richieste dalla suocera, e lì ebbe quasi una crisi di nervi.

«Ma se quando l'abbiamo ritirato mi ha detto che era bellissimo!»

«Invece ha cambiato idea, come fa sempre quella... ma vuole solo avere ragione.»

«Vuole rovinarmi la festa, sta *fatuu*.»

«Chiara finiscila. C'è qui tuo zio, c'è tua sorella, domani ti sposi. Ci parlo io, con la First Lady. Vedrai che il tuo vestito sarà ancora più bello: ho un pezzo di organza che sembra fatto apposta per te.»

Ninella ritrovò nella sua voce un'inconsueta dolcezza.

«Se lo dici tu.»

«Così le anticipo che ti porta zio Franco all'altare e sento se per loro va bene. Tu intanto inizia a preparare la tavola che tra poco arrivano gli altri zii e sicuro che Modesto vuole un piatto di pasta che ha guidato tutta la notte.»

Chiara chiese a sua sorella di darle una mano, mentre zio Franco si dileguò con una scusa, dicendo che gli avevano fatto un regalo che non meritava.

Rimaste sole, Ninella e le sue figlie cercarono di ritrovare un po' di confidenza. Erano più legate di quanto pensassero. La mamma, anche per togliersi da una situazione che l'aveva messa un po' in imbarazzo, aveva ancora una domanda in serbo per loro.

«Come mi stanno i colpi di sole?»

«...»

«Be', siete mute?»

«Stanno benissimo, ma'. Con tutta questa lacca sembri Adele.»

«Chi è Adele?»

«La cantante, quella grossa.»

«Ah, grazie.»

«Guarda che è bella assai... vedrai che anche zia Dora stavolta non ti può proprio criticare.»

Fu Nancy a dirglielo, perché Chiara aveva la testa da un'altra parte. Continuava a rimuginare su quel "Ci sentiamo dopo, se vuoi" che le aveva scritto Vito Photographer.

In fondo non si conoscevano, anche se il fotografo aveva già capito molto di lei. Quella testa rasata solleticava la sua libido, ma lei non voleva ammetterlo. Così si era convinta che a colpirla fosse stata la casa che lui aveva acquistato, in mezzo alla campagna. Sicuramente più vicina ai suoi sogni di quella dove avrebbero vissuto lei e Damiano: un appartamento appena fuori Polignano, verso Monopoli, bello ma senza cuore. Troppo elegante, troppi marmi, troppo design. Lontano dagli scogli dove era cresciuta. L'ennesima casa di proprietà Scagliusi, regalo di nozze agli sposi.

Non ebbe tempo però di stare dietro ai suoi pensieri, perché Ninella chiamò le figlie attorno al tavolo dove stava preparando il sugo, si versò un bicchiere di Tavernello che usava per il soffritto, e cominciò con la seconda arringa.

«Ascoltatemi bene, mo'. Nessuno potrà rovinarci questa festa. Lo so che non avrei dovuto fare pace con mio fratello dopo che ha infangato la nostra famiglia, perché anche se non ve l'ho mai detto chiaramente, lui ci ha infangato. Ho dovuto farmi il mazzo per anni per essere di nuovo accettata dal paese, anche se qui di contrabbandieri ce n'erano assai. Ma hanno arrestato lui, e così se la sono presa con noi. Io però non ho mai mollato. Anche quando vostro padre voleva che ce ne andassimo a vivere in Salento, io mi sono opposta. I Torres se ne andranno da Polignano solo quando saranno loro a deciderlo. E credo che sia giusto condividere questa festa anche con mio fratello. Anche se ha *sbagliet*. Se non lo perdonassi oggi, non sarei felice domani. E domani dobbiamo essere tutti felici.»

Fu mentre disse "felici" che gli occhi cedettero, e lei allontanò prontamente le cipolle. Durante lo sfogo di Ninella, Chiara ogni tanto si distraeva cercando una sistemazione al tavolo – Libeccio o

Bora? – e pensando un po' a Vito, un po' allo zio, un po' alla suocera che voleva rovinarle il vestito.

«Vedrai che l'abito sarà bellissimo lo stesso. Sono la più brava sarta di Polignano, vuoi che non renda giustizia a mia figlia?»

«Ma lo stilista aveva deciso che lo scollo doveva essere...»

«Piantala di dar retta allo stilista, mica è Gesù Cristo! Matilde vuole farci vedere che è più forte e noi lasciamoglielo credere. Così non ci potrà dire di no a tuo zio.»

«E ricordati che devi dirglielo anche a zia Dora, che zio Modesto non mi porta lui. Tra quanto arrivano?»

«Tra un po'... ma gli parliamo dopo il caffè. Intanto muovetevi, tirate fuori olive, mozzarelle... e tu poi Nancy vai a prendere un po' di focaccia che quella a Castelfranco se la sognano!»

Nancy la fissò chiedendosi se sua madre avesse bevuto altro Tavernello.

«Cos'è che hai da guardare così? Ne vuoi un bicchiere anche tu?»

«Ma *non si normel*, ma'. Troppe calorie!»

Nancy finì di apparecchiare cercando di non guardare i carboidrati, mentre Chiara era salita in camera a rivedere il suo vestito con lo scollo ancora intatto. Lo accarezzava come una bambina che non vuole farlo andare via. Se lo provò davanti allo specchio, ma senza indossarlo, e fece qualche girandola per vedere come si muoveva. Lo squillo del telefono la svegliò dal sogno. Era Damiano, che voleva sapere a che ora dovevano andare in chiesa per fare le prove. Quando mise giù, tirò un sospiro di sollievo.

11

Quando si sentiva troppo felice o troppo triste, don Mimì andava a vedere i suoi campi.

Appena saputo che Orlando si sarebbe presentato alle nozze con una ragazza, aveva preso ed era uscito di nuovo, senza neanche inserire l'antifurto al "Petruzzelli".

La felicità è talmente impalpabile che non può avere testimoni, pensava. La riconosci solo se ti ci trovi in mezzo. Intanto schiacciava l'acceleratore in preda a una strana eccitazione. Il quadro sembrava ormai perfetto e gli Scagliusi sarebbero stati i veri protagonisti di Polignano. In più, facendo sposare Damiano a Chiara, era come se le due famiglie si ricongiungessero a posteriori, per porre fine a quella brutta storia di tanti anni prima.

Prese la strada per Conversano, imboccò una piccola deviazione sterrata, e dopo qualche chilometro si fermò. Era tutto così poetico da chiedere silenzio. Non c'erano strappi nel paesaggio, interrotto qua e là solo da qualche muretto a secco. L'unico elemento belligerante era il vento. Quella natura incontaminata, di colpo lontana dal mondo, lo faceva sentire vivo. Le sue patate erano ancora lì, custodite da ciuffi verdi. Da un lato, gli ulivi si attorcigliavano su se stessi con le loro storie secolari.

Eccola, la sua terra. Chiuse gli occhi e ne respirò l'odore, anche se era mischiato con la sua colonia al pino silvestre. Quanto sarebbe bella la vita se fosse sempre come l'aria in quel momento: sincera.

Invece ripensò a suo figlio Damiano e alla freddezza delle parole che gli aveva detto riguardo al matrimonio.

Perché non gli aveva mai insegnato ad amare? Forse quello è un verbo che non va spiegato, ma solo vissuto. E lui aveva sempre vissuto di nascosto. Neppure Ninella, per quanto sentisse qualcosa quando s'incrociavano, era poi così convinta che lui l'amasse.

Sempre costretto a reprimere tutto, don Mimì aveva finito per essere frainteso. Anche per questo piaceva alle donne: tutte lo avrebbero voluto guarire da quella durezza.

Don Mimì prese in mano una zolla di terra. La osservò come se potesse rivelargli i misteri dell'Universo. Poi la strinse forte e la lasciò andare, per vedere quanta ne rimaneva tra le dita. Gli piaceva schiacciarla sulla pelle, lo faceva sentire parte di qualcosa di grande. Aveva cinquantaquattro anni: l'età in cui si è troppo giovani per essere vecchi e troppo vecchi per essere giovani.

Si sedette su un muretto e riprese a guardare quell'affresco che cambiava colore ogni giorno, circondato da colline arrotondate dal tempo. All'orizzonte, in lontananza, il mare. Sapere che era lì, a rendere così uniche e gustose le sue patate, lo confortava. In Egitto se le sognavano patate del genere, si diceva, ma non ne era per niente convinto.

Ripensò alla strada che aveva fatto per ottenere tutto questo, ai dipendenti della "Scagliusi & figli Import Export", e pazienza se Orlando non avrebbe mai lavorato nell'azienda di famiglia. Ripensò anche allo shock di quando Matilde gli aveva detto di essere incinta la prima volta. Ma dopo nove mesi era nato un maschio, gli aveva messo il nome di suo padre e un peso se l'era tolto. Anche se far parlare Damiano era stata un'impresa.

L'avevano affidato alle cure di un logopedista di Barletta, ma oltre certi progressi non era riuscito ad andare. Don Mimì non si era tranquillizzato neppure con la nascita di Orlando. Troppo sensibile, troppo taciturno, troppo diverso dagli altri. Erano girate subito tante voci sul suo conto, e le voci in un paese sono la peggiore delle epidemie.

Ancora un giorno e quelle voci sarebbero state messe a tacere. S'immaginò la foto di gruppo davanti alla chiesa con i figli e gli invitati: Chiara e Damiano in mezzo, Orlando e Daniela da un lato, lui e Matilde dall'altro. E poi Ninella, da qualche parte, con Nancy. Fu l'immagine di quella donna sola a fargli vedere il marrone dei campi di colpo troppo scuro. E il vento tornò maestrale.

Ninella era la donna della sua vita perché era l'amore della giovinezza. E nessun sentimento, più dell'amore, assomiglia alla giovinezza. Ma senza coraggio non si va da nessuna parte, anche se si ha una famiglia potente alle spalle. E lui non era riuscito a ribellarsi a una decisione che non avrebbe mai voluto prendere. Era per il bene della famiglia, gli ripeteva suo padre, «rischiamo di finire tutti nei guai». E lui aveva messo il dovere davanti al piacere, proprio come aveva scelto di fare suo figlio.

Don Mimì prese un'altra zolla e la distrusse, sentendola entrare sotto le unghie.

«Ninella mia» disse soltanto. «Ninella mia.»

Rivide la scena di quando l'aveva portata per la prima volta fra le rocce del Grottone. Erano i primi di giugno, l'acqua era gelata ma avevano fatto il bagno lo stesso, senza gridare, perché nessuno li notasse. Si erano baciati sugli scogli, anche se Ninella aveva frenato qualsiasi impeto. Poi si erano mangiati un pezzo di focaccia senza parlare, accarezzandosi ogni tanto e lasciando parlare il mare.

Avevano poco più di vent'anni. Avrebbero avuto tutto il tempo di dimenticarsi l'uno dell'altra. Ma, ciascuno a suo modo, ne avevano fatto una malattia da cui si rifiutavano di uscire.

Da allora si guardavano solo in chiesa, durante la comunione. Anche per questo andavano sempre a messa: era un'occasione in cui erano legittimati a trovarsi nello stesso luogo. Ogni volta che lui tornava al banco dopo aver preso l'ostia – un passo dietro Matilde – puntava gli occhi verso Ninella. Lei lo aspettava per alzare lo sguardo, trattenendo quegli occhi per sé.

Don Mimì li rivide in sequenza, quegli sguardi. Tutte le domeniche, per quasi trent'anni, come un voto. E alla fine, forse inconsciamente, avevano trasmesso quell'ossessione ai loro figli. Ma ai pochi incontri delle famiglie Scagliusi-Casarano – lei si rifiutava di chiamarsi Torres – malgrado l'imbarazzo iniziale, Ninella si era sempre comportata con discrezione, senza mai parlare con don Mimì più del necessario. Gli dedicava il rispetto che si nutre per i potenti, non il sangue versato per gli amanti. Per questo Matilde si era fidata e non aveva mai sentito la necessità di riaprire la questione con il marito.

Il maestrale spostò don Mimì quasi di peso, allora lui si mise controvento e aprì i pugni, neanche fosse il *Cristo* di Rio de Janeiro. Cercava di fendere quella furia, quasi a sfidare la sua volontà contro la natura. Dopo un po' cominciò a non poterne più, e si arrese. Salutò i campi, e tornò in macchina a passo spedito.

Non fece in tempo a salire che il telefono suonò.

«Dove stai?»

«In azienda sto, Matilde. Dove vuoi che stia?»

«Ma qui è tutto pronto. Aspettiamo solo a te per mangiare che Damiano deve andare in chiesa per le prove...»

«Cominciate pure, che io ho ancora da fare... che sennò domani non mi godo la festa.»

Quando don Mimì non voleva rotture, diceva che era "in azienda", e quella parola spostava la moglie nelle retrovie. Lei riattaccò cercando di non innervosirsi e assaggiò il sugo. Non era una grande cuoca, perché cucinava con amore solo la sua specialità: le polpette. Le faceva tonde, perfette, quasi un esercizio di stile. Quel mattino, oltre alle polpette, anche il ragù di carne non le era venuto per niente male.

Sarebbe stato l'ultimo pranzo con Damiano ancora scapolo, ed era un peccato che mancasse il capofamiglia. Matilde si affacciò e annunciò ai suoi ragazzi: «Papà ci chiede di aspettarlo che è un po' in ritardo», ma nessuno le rispose. Solo Orlando accennò un brindisi a suo fratello, mentre cercava di calmare via sms Daniela che non se la sentiva più di fare la messinscena alle nozze. "Se non ti presenti mi diseredano" le aveva scritto lui per convincerla, e lei gli aveva risposto: "Ok, sono stufa di avere amici poveri" aggiungendo una faccetta con l'occhiolino. Orlando però non aveva sorriso. Era in trepidante attesa di una chiamata dell'Innominato.

12

In attesa di don Mimì, i due fratelli ritrovarono la loro posizione sul divano, ciascuno in compagnia del proprio telefono, vicini e lontani al tempo stesso.

Orlando era in fase isterico-compulsiva con il prolungamento di sé che era diventato il suo iPhone. L'Innominato gli aveva scritto che sarebbe riuscito a liberarsi nel pomeriggio, e lui non aveva potuto neanche piantare un urletto di gioia.

Sua madre lo guardava, mentre friggeva le ultime polpette, e s'illudeva che quegli occhi fossero merito di questa benedetta Daniela. Anche se non ne sono consapevoli, le mamme ti guardano sempre. Lei si era presa più cura di lui che di Damiano. E quando il primogenito aveva iniziato a balbettare, in fondo pensava di esserne un po' responsabile.

Damiano, invece, non si rendeva conto di nulla, felice che gli fosse sparito il mal di testa e avesse finito "quel cazzo di prefilm" come aveva detto poco prima a Cosimo. Ma rimase non poco sorpreso dal messaggio della sua ultima ex, che non sentiva da mesi: "Ehi Damy... so che domani è il grande giorno... e mi piacerebbe farti gli auguri... prima... chiamami se vuoi... Alessia".

A Damiano era venuto duro all'istante.

Approfittando dell'apatia generale – le polpette avevano il potere di far cadere Matilde in trance – salì di sopra, si chiuse in camera e la chiamò.

«Dove stai?»
«Che sorpresa, Damy, mi hai chiamato.»
«Sì, ma dove stai, Alessia?»
«A casa... a Castellana. Come stai?»
«Insomma...»
«Cos'è sta voce?»
«Sto un po' giù... sto stressato... non è facile c... c... c...»
«Compiere...»
«C... C... Compiere il grande passo, anche se tutti dicono che fa parte della v... v... v...»
«Vita!»
«Esatto...»
«Vuoi che ci vediamo e ne parliamo?»
Risentendo quella voce, l'eccitazione finì d'impossessarsi di lui. Non era una domanda. Era il diavolo che gli diceva di entrare a gambe aperte.
«Veramente mi sto mettendo a tavola che stiamo aspettando mio padre...»
«Ah, don Mimì! Salutamelo!»
«... e alle tre e mezzo ho le prove in chiesa con la mia ragazza.»
Lo disse per mettere le cose in chiaro, anche se le cose erano già chiare, perché i suoi pensieri stavano esplorando zone pericolose. La lingua però andava avanti da sola, e senza intoppi, come se fosse legata solo al desiderio.
«Ma le prove in chiesa dovrebbero essere abbastanza veloci. Quando ho finito se vuoi ti chiamo così magari ci vediamo. Che dici?»
«Sì, mi farebbe piacere salutarti. Basta che poi mi chiami.»
«Certo che ti chiamo...»
«Così ci salutiamo.»
«Certo. Ti chiamo e poi ci salutiamo.»
«Vedi di non deludermi, eh?»
Matilde entrò senza bussare per dire che suo padre era arrivato. Damiano si spaventò a tal punto che per un attimo si spaventò pure lei. Liquidò la sua ex dicendole: «Va bene, Cosimo, ti tele-

fono dopo», e Alessia ebbe la prova che Damiano l'avrebbe vista con le peggiori intenzioni.

Sua madre gli disse di darsi una mossa ma, prima di scendere in cucina, trovò il tempo di spostare un paio di animaletti nel "corridoio Thun" che non la convincevano tanto.

Don Mimì era a capotavola che controllava le unghie, per vedere se aveva lavato bene le mani. Era contento che lo avessero aspettato e provò a sorridere, in un disperato tentativo di poter cambiare il passato. Versò vino nei bicchieri stando attento a non macchiare la tovaglia, e disse anche un «Matilde aspettiamo solo te» che li sorprese. Era un po' nervoso, ma quel giorno erano nervosi tutti, per cui nessuno se ne accorse. Damiano sperava soprattutto di non balbettare, ma sapeva che l'unico modo per farcela era non pensarci. Anche Orlando era teso, specialmente ora che cercava di essere credibile nella sua nuova relazione. Diceva spesso «mo' vediamo come va», che a Matilde non suonava bene per niente.

«Un brindisi ai miei figli» disse don Mimì. Provò a guardarli in faccia ma avevano entrambi gli occhi altrove, più verso il bicchiere che nella sua direzione. Lo temevano ancora e volevano evitare non solo lo scontro, ma il confronto. Un momento di gioia comune li avrebbe messi in imbarazzo. Lui ne prese atto e non insistette, anche se si sentì in dovere di aggiungere: «Sono contento che oggi siamo qui tutti insieme».

L'unica persona vicina alla commozione, in realtà, era Matilde. Era l'ultima volta che avrebbe fatto le polpette per loro quattro, e vederli allungare le mani su quel piatto le aveva mostrato il senso della sua vita in pochi attimi: preparare, condividere, servire e tacere. Nessuno l'aveva mai capita veramente. La sua rabbia, la sua malinconica frustrazione, erano sentimenti poco compresi.

Damiano si attaccò al vino perché lo aiutava a non balbettare, e aveva bisogno di togliersi di dosso il pensiero di rivedere Alessia. Orlando bevve perché sperava di rivedere l'Innominato.

Alla fine del pasto, erano tutti ubriachi.

Pure Matilde ci aveva dato sotto, vedendo i suoi uomini bere in quel modo. Ma lei, se alzava il gomito, diventava solo più aggressiva.

Non fu quindi per niente bendisposta quando Ninella la chiamò dicendole che doveva parlarle. Le anticipò che non si trattava delle modifiche al vestito, che anzi "condivideva". Non lo pensava ma lo disse, per cercare di spianarsi la strada.

Appena Matilde provò a farle altre domande – vorrà mica scombinare i tavoli? – Ninella le rispose che sarebbe stato meglio vedersi di persona. Per un attimo, la First Lady perse un po' della propria sicurezza.

13

Nella cucina di Ninella si respirava un'aria di festa e vaniglia.

Dopo la telefonata con Matilde, tutto sembrava facile. Zia Dora e zio Modesto, pur fermandosi solo un paio di giorni, erano arrivati portandosi dietro un set di valigie, un beauty enorme e due ombrelli. Zia Dora appariva più docile del solito, sebbene parlasse ossessivamente solo di Castelfranco: Castelfranco e devi vedere che negozi di lampadari; Castelfranco e il massaggio ayurvedico; Castelfranco e in pochi minuti sei sulle Dolomiti. Nelle sue parole c'era però meno aggressività, e anche gli occhi sembravano più indulgenti. Non si accorse nemmeno della sparizione del piatto della Côte d'Azur.

Lo zio Modesto era il solito salentino pieno di cuore e di baci, con parole affettuose per Nancy e Chiara. La sposa, la zita, il sogno di ogni genitore che lui non aveva potuto realizzare. Forse anche per questo se n'erano andati al Nord.

«*Evviva a zeit*» iniziò a dire pensando a suo fratello che se n'era andato troppo presto. Gli tornò in mente com'era da ragazzo, a Tuglie, vestito da ferroviere, quando facevano lo stesso turno e la gente gli diceva "sembrate quasi fratelli". Solo una donna come Ninella poteva crescere due figlie in quel modo senza aver mai bisogno di soldi né di aiuto, e tutte le volte che si era fatto avanti lei gli aveva sempre risposto: «Credo che tua moglie basti e avanzi».

«Ma Dora... non mi hai ancora detto niente dei miei colpi di sole.»

«Stavo giusto notando, Ninella. Ma li hai fatti già?»

Per un attimo Ninella credette di morire. "Eccola che torna all'attacco" pensò tra sé. "Ma se ce l'ho fatta a reggere in questi mesi una suocera come Matilde, non mi farò sicuramente intimidire da te."

«Sì, li ho appena fatti da Lucia Coiffeur. Certo, non sarà come la tua di Castelfranco, ma non potevo tradirla proprio oggi. È una vita che vado da lei e le cucio i vestiti. Ma per Chiara viene Pascal di Bari, stai tranquilla, uno che ha pettinato pure Bianca Guaccero.»

«Bianca chi?»

«La Guaccero, all'inizio della carriera. C'ha la foto in negozio. Vedrai domani.»

«Non avete chiamato Mimì Colonna?»

«No, ma guarda che Pascal è pure bravo, domani vedi... e costa pure assai... ce l'ha consigliato lo stilista, hanno la stessa visione.»

Zia Dora non si lasciò impressionare più di tanto. Era stanca del viaggio: per quanto avesse fatto la brillante al telefono, Castelfranco-Polignano non era proprio una passeggiata. Fu Nancy ad accorgersene, in uno dei pochi momenti in cui non pensava a Tony che le saltava addosso dicendole: "Dove credi di andare, baby?". Chissà se dopo aver fatto l'amore l'avrebbe già potuto invitare alle nozze, magari come ospite a sorpresa: un campione di calcio fa sempre la sua porca figura, pensava, ma doveva sentire prima cosa diceva Carmelina.

«Vuoi un caffè, zia? Ho imparato a farlo con la cremina...»

«Ma non avete ancora le cialde?»

«No, zia. Niente cialde. Mamma dice che costa troppo e fa più male.»

Ninella fulminò sua figlia così velocemente che Nancy si sentì in dovere di aggiungere che comunque loro il caffè in casa lo prendevano poco «perché mamma preferiva andare al bar per fare un break». Disse proprio così: "break", convinta che fosse la parola giusta. Guardò sua madre in cerca di un consenso, ma la trovò intenta a caricare la moka, mentre si toccava i capelli con l'aria di chi ha il sospetto che quella lacca andrà via solo con l'esplosivo. Chiara, invece, stava alla finestra. In apparenza, osservava il mare. In realtà, rileggeva il messaggio che le aveva scritto Vito. D'improvviso le apparve Mariangela su una nuvoletta con l'indice puntato, così mise il telefono in tasca e a bassa voce ripeté: «Io, Chiara, accolgo te, Damiano, come mio sposo. E prometto di esserti fedele sempre, nella gioia e nel dolore...».

«Che fai Chiara, preghi?»

«No, zio, sto ripassando che tra un po' ho le prove con Damiano.»

«Ma devo venire anch'io per l'entrata in chiesa? Noi salentini non è che proprio camminiamo dandoci le arie. Però dimmi tu.»

Lei non seppe cosa rispondere anche perché le venne in mente una cosa che la mandò nel panico: i fiori. Aveva scelto la "flower designer" alla fiera di Trani, aveva concordato ogni addobbo – perfino la tinta del tappeto e il copri pouf – ma ora iniziava ad avere qualche dubbio. Non è che la calla è un fiore troppo misero? Perché non aveva scelto le ortensie?

Al momento di decidere non aveva avuto il coraggio di opporsi, solo perché glielo consigliava la flower designer. E ora non era più sicura dei suoi fiori. Mentre aspettava una risposta, zio Modesto le fece un'altra domanda.

«Allora sei contenta di sposarti?»

«Eh?»

«Di sposarti, dico. Sei contenta?»

«Se la festa viene bene, certo! È da due anni che mi preparo e finisce che siamo in ritardo.»

«Ricordati che domani è solo il primo giorno di matrimonio. Poi arrivano gli altri.»

«In effetti...»

Lo zio si aggiustò un po' la camicia che gli tirava sulla pancia.

«Vedi, il matrimonio è una scommessa, e anche quando giochi con tanti soldi, puoi sempre perdere tutto.»

«Quindi è normale, dici, un po' di paura?»

«Sì. E mettiti in testa che la persona giusta non esiste. Esistono solo persone che sono più adatte.»

Chiara tirò un sospiro di sollievo, perché non si era mai posta veramente la questione. E poi stava pensando ancora alle calle in chiesa.

«Più adatte?»

«Più adatte, più compatibili... come dite voi? Quella giusta esiste solo all'inizio, quando non capisci niente perché pensi solo a darti baci.»

«Ma tu come le sai tutte queste cose se ti sei sposato subito con zia?»

Zio Modesto intravide sua moglie all'ingresso che, davanti allo specchio, provava a risistemare i capelli di Ninella scuotendo la testa.

«Sai, lavorando in treno ho capito un sacco di cose. Anzi, quasi tutto. Ho ascoltato discussioni, discorsi... ho visto gente senza biglietto ma con gli occhi pieni di amore. E poi li ho visti un po' di mesi dopo, con l'abbonamento in regola che a malapena si parlavano.»

Tutti e due si fermarono, quasi a immaginarsi dentro un vagone, e Chiara realizzò che non aveva mai pensato a cosa sarebbe successo dopo il matrimonio. Guardò quello zio che avrebbe voluto vedere più spesso e l'abbracciò goffamente, facendogli mangiare un po' dei suoi capelli. Era la persona più vicina a suo padre, di cui le restavano solo foto, qualche racconto e una lapide.

Ninella vide quella stretta e quasi si offese. Lei che l'aveva tirata su da sola, non aveva mai ricevuto un abbraccio così. Incassò facendo finta di non vedere, anzi disse «*ce so' bell*» a sua cognata, che sembrava di nuovo dolce anche se era disgustata da tutta quella lacca: a Castelfranco erano anni che non la usavano più.

Nancy se ne spuntò alle loro spalle urlando: «Caffè, zia, caffè!» appoggiando un vassoio traballante sul tavolo.

Lo zio si sentì in dovere di avvicinarsi a Ninella, sebbene lei fosse sotto le grinfie di zia Dora che continuava a cambiarle pettinatura: «Stai molto bene con questi capelli, non farteli rovinare da mia moglie...».

Ma Ninella, che non aveva voglia di una lite tra cognati, disse subito che zia Dora aveva «le mani di una professionista», e questo sorprese un po' tutti, a cominciare dalle sue figlie, che restarono impalate con le tazzine in mano. Colta di sorpresa, zia Dora attaccò un pippozzo di complimenti nei confronti di Chiara – si doveva sdebitare – ma proprio sul finale la definì incautamente «l'espressione più selvaggia di tutta la Puglia».

La povera sposa, che aveva più di un'insicurezza, la prese male. Ma come? Aveva già fatto la ceretta e spinzettato le sopracciglia. Dovevano essere per forza i capelli. Per cui, senza che nessuno glielo avesse chiesto, iniziò a ripetere che i capelli dovevano sembrare naturali altrimenti «si vede che il film è costruito. Invece noi puntiamo sulla spontaneità».

«Ma perché, non avete finito stamattina?»

«No, mamma. Servono ancora dei piani sequenza che forse faccio con Vito nel pomeriggio.»

Ninella stava per risponderle: "Lo so io di che piano sequenza parli tu" ma si trattenne. Era una delle poche madri in grado di pensare i propri figli colpevoli di qualcosa. Per cui non le rispose, ma la fissò, e Chiara fu costretta a distogliere lo sguardo.

Zia Dora le osservava e non le capiva, soprattutto non capiva che rapporto avessero. Ma non se la sentì di dire nulla, sicura che suo marito l'avrebbe zittita. Le Casarano Sisters intanto mettevano in tavola biscottini come atlete di nuoto sincronizzato, anche se Nancy esasperava ogni movimento perché era convinta che nulla andasse sprecato pur di macinare calorie.

Chiara mollò però presto la zuccheriera per nascondersi nell'angolo dove il telefono aveva più tacche. Aveva ricevuto l'ennesimo messaggio di Vito, e nella sua testa era scattato l'allarme.

14

Più il venerdì si avvicinava al sabato, più la chiesa Matrice sembrava gonfiarsi per l'emozione. Anche se si trovava in un angolo della piazza, era come se ne fosse sempre al centro. Sobria, bianchissima, lucidata dal vento. Chiara arrivò all'appuntamento con qualche minuto di anticipo. Aveva fatto il giro da vico Poppa per metterci più tempo, perché camminare la distendeva. Intanto pensava un po' alle ortensie, un po' allo scollo dell'abito, e molto alla testa pelata di Vito. Gli aveva risposto "ti chiamo dopo", che era già un messaggio pieno d'intimità. Ma pochi sconosciuti ti conoscono più di un fotografo di nozze: entrano nella tua casa, vedono i tuoi familiari, scoprono le tue passioni. E in un attimo sono dentro la tua vita. Varcò il portone della chiesa e cercò padre Gianni. Voleva confessarsi lontano da Damiano.

Lui l'interrogò come il professore fa con la più brava della classe, senza darle troppa importanza. Perché dubitare di una ragazza che non era mai mancata al corso prematrimoniale? Lei ne fu sollevata. Non sentendosi sotto esame, aveva evitato di raccontare il brivido provato quando Vito l'aveva invitata per fare ancora qualche foto. In fondo, un ritratto in più era solo un peccato di vanità.

Damiano arrivò mentre lei era in ginocchio davanti a Giovanni Paolo II, e il parroco gli andò incontro per evitare che interrompesse le *Ave Marie*. In realtà lei stava usando quel tempo per pensare:

"Ma se Vito poi ci prova, che faccio?". Guardò il papa in cerca di risposta, ma lui non batté ciglio.

Inginocchiato al confessionale, lo sposo ci mise un po' prima di parlare perché aveva il terrore che, nel silenzio della chiesa, Chiara potesse sentire le sue parole. In realtà era convinto che i veri peccati si potessero dire solo a suo cugino Cosimo. Quindi si limitò alle litigate con Orlando, alle prepotenze sul lavoro e a una discussione che aveva avuto con sua madre sul colore della cravatta.

Pochi *Padre Nostro* anche per lui, anche se per lui non erano mai "pochi". Prima di andare al banco diede un pizzicotto al braccio di Chiara, che scattò neanche fosse stata beccata a rubare i soldi delle offerte. «Damiano, sei tu...» disse con troppa sorpresa, e lui ribatté: «Tutto bene?».

"Tutto bene?" era la stessa domanda che, pochi isolati più in là, zio Modesto aveva appena posto a Ninella. Ma lei aveva deciso di affrontare la First Lady il prima possibile e non aveva nessuna voglia di confidarsi. Per cui rispose solo che era normale avere qualche pensiero prima di un giorno così importante.

In realtà avrebbe voluto dirgli che una donna sola non è mai forte abbastanza. E lei voleva dimostrare al mondo che, almeno una volta, aveva più potere degli Scagliusi. Il suo mondo, ovviamente, era un pugno di case bianche, circondate da cantieri e terre fertili, sulle cui rocce aleggiava la voce di Modugno.

Dopo aver consigliato a zio Modesto un riposino in salotto – non poteva permettersi di farli dormire in albergo – uscì di fretta verso il "Petruzzelli". Lasciò volutamente a casa il cappello, perché tutti potessero vedere i suoi colpi di sole, così si faceva un'idea della reazione. La signora Labbate, che di solito commentava, la salutò come se nulla fosse. Anche gli altri negozianti che la vedevano passare le dicevano «auguri per domani» e «vedrai che il vento cala», ma nessuno le aveva fatto uno straccio di complimento sulla nuova acconciatura. Lei diede la colpa a zia Dora, che aveva voluto metterci le mani e adesso era venuto un pasticcio.

Uscita dall'arco, si ritrovò dentro la civiltà fatta di traffico e semafori. Le auto giravano lente, mentre i ragazzini si macchiavano la faccia con i primi coni del Mago del Gelo. Arrivò fino alla stazione a passo spedito, e dopo poco si ritrovò al teatro Petruzzelli di Polignano: grande quanto un isolato, spiccava tra le altre case vicine per il colore bordeaux, le inferriate alle finestre, un'antenna parabolica gigante e il piccolo giardino all'inglese tenuto alla perfezione. "Scagliusi House" c'era scritto su una piastrella in ceramica.

Si accese una sigaretta con una sensualità che neanche Kate Moss. Si allontanò di qualche metro per non sembrare una stalker, mentre si sentiva sempre meno sicura di sé. Poi tornò sui suoi passi e citofonò "Scagliusi Domenico" senza più esitazioni. Matilde le comunicò il codice dell'ascensore per salire al primo piano. L'ascensore era il fiore all'occhiello della casa.

Quando le porte si aprirono, fu Matilde stessa ad accoglierla, per fortuna. Don Mimì l'avrebbe messa in crisi.

«Venga, Ninella, venga. Aspetti che disinserisco l'allarme.»

Avevano il terrore di essere derubati.

«Ora ci possiamo fare un caffè che mi sono arrivate le cialde con tutti i gusti.»

«L'ho appena bevuto, grazie, ma ne accetto un altro volentieri... sono appena arrivati i miei cognati da Castelfranco, abbiamo mangiato anche i pasticcini che ci hanno portato da là.»

Ninella non avrebbe mai pensato che zia Dora le sarebbe tornata utile per impressionare la First Lady.

«Si sieda, comunque. Lo preferisce all'amaretto o alla vaniglia speziata?»

«All'amaretto va benissimo. È sola?»

«No... mio marito è di sopra nello studio che lavora... quello lavora sempre...»

Sentire "mio marito" la rese ancora più nervosa.

«... mentre Orlando è in camera sua al telefono. È tutto agitato che domani ci presenta la sua ragazza: Daniela.»

«Ah, si è fidanzato alla fine.»

«Sì, sì, pare proprio che abbia messo la testa a posto. Domani dormono addirittura nella villa a San Vito.»

«Sono proprio contenta.»

Una gara di sincerità.

Le due parlavano con la consapevolezza che il duello doveva ancora iniziare. Matilde notò i colpi di sole di Ninella e pensò che le stavano benissimo, ma non glielo disse. Si aggrappava ai suoi elettrodomestici all'ultimo grido – aveva sempre la versione più aggiornata del Bimby – e alla sua casa grandiosa fatta di marmo, specchi e tante stanze.

«Si è mica offesa per le modifiche che ho chiesto al vestito?»

«No, anzi. Grazie che se n'è accorta... in effetti lo scollo era un po' troppo provocante. Questo stilista di Brindisi è un po' pazzerello e mia figlia alla fine si è fatta convincere.»

Quel pezzo di organza, Ninella gliel'avrebbe stretto volentieri intorno al collo.

«C'è qualche problema con i tavoli? La sala ci ha chiesto di evitare modifiche dell'ultimo minuto e ieri abbiamo chiuso le liste.»

«In effetti, Matilde, è una modifica dell'ultimo minuto...»

«...»

«... ma è una persona sola.»

«Una persona sola non è un problema! Credo che al tavolo Scirocco siano solo in nove.»

«Forse sì.»

«E perché?»

«Perché si tratta di mio fratello Franco. Franco Torres, non so se ne ha mai sentito parlare.»

Al suono di quel nome, calò il sipario. Ninella, invece, era pronta alla lotta. Giocò le sue carte con sapienza – se le era studiate mentre la cognata le metteva le mani in testa – facendo le pause giuste, scegliendo le parole adatte, senza dimenticare, mentre parlava, di gustare quel caffè nauseabondo e di guardarsi intorno stupita di tanto lusso. Dato che la vedeva fare la comunione tutte le domeniche, le parlò di perdono e pentimento, di misericordia, ripetendole una specie di "best of" delle prediche di padre Gianni.

Ma Matilde andava in chiesa per farsi vedere e per non lasciarci andare suo marito da solo. Per il paese, lei era innanzitutto la donna su cui don Mimì aveva ripiegato quando lo avevano costretto a lasciare Ninella. E per quanto si potesse considerare fortunata ad aver sposato il re delle patate, sarebbe sempre stata una seconda scelta. Più che una First Lady, una Second Lady. Perciò era più brava a serbare rancore che a essere felice.

Matilde odiava Ninella con tutta se stessa. Perché, pur vivendo *ind a 'nu iouse*, pur lavorando in casa, pur non avendo né ascensore né il Bimby, aveva continuato a lottare per la sua dignità, e aveva acquistato rispetto. E ora che aveva trovato il coraggio di perdonare il fratello, appariva ancora più forte.

«Secondo me è una scelta piuttosto avventata. Capisco che è un fratello, e in questi giorni dobbiamo essere più buoni. Ma per noi Scagliusi il matrimonio è anche un'occasione pubblica, e noi siamo sempre stati democristiani.»

«Ma i democristiani non ci stanno più!»

«È qui che si sbaglia, Ninella. I democristiani non muoiono mai.»

«E i democristiani non sanno perdonare?»

«Non si tratta di perdono. Si tratta di non dare adito a voci. Di essere irreprensibili. Ci sarà anche il sindaco, al matrimonio. Non vorrei che la festa di Damiano si trasformasse in un'occasione per sparlare di noi.»

Ninella si trattenne dal dire che anche gli Scagliusi in passato avevano guadagnato col contrabbando, perché non ne aveva le prove e non poteva permettersi la guerra. Sua figlia non l'avrebbe meritata.

«Quindi mi sta dicendo che non posso invitare mio fratello?»

«Secondo me no, poi decida lei.»

"Poi decida lei" non aveva alcun valore, e lo sapevano tutte e due. E per darle la mazzata finale, Matilde aggiunse:

«Più tardi ne parlo anche con Domenico.»

Lo aveva chiamato Domenico, don Mimì, che intanto si era avvicinato al salotto in punta di piedi, scendendo piano le scale, incuriosito dalle chiacchiere. Quando aveva riconosciuto il timbro di quella donna speciale, non si era più mosso. Tratteneva il respiro e intanto la intravedeva, con i capelli rifatti e gonfi, qualche chilo che la rendeva più formosa, quel viso che il tempo aveva appena indurito ma l'animo no. L'animo pulsava in quell'appello accorato che Matilde non aveva nessuna intenzione di accogliere.

"Dai Matilde, di' di sì. Di' di sì! Glielo devo. Quel fratello le ha rovinato la vita, e l'ha rovinata pure a me. Anche se io mi sono rovinato da solo. E se lei adesso ha deciso di perdonarlo, chi siamo noi per opporci?"

Parole che però gli restarono in testa. Don Mimì sapeva che sarebbe bastato comparire nella stanza per far valere la sua autorità. Ma non ebbe abbastanza coraggio per aprire la porta ed entrare.

15

Non appena gli zii crollarono sul letto, Nancy si sentì legittimata a prepararsi e uscire.

Anche se sarebbe stato meglio riposare, voleva correre almeno mezz'ora prima dell'incontro con Tony. Le aveva confermato di farsi trovare vicino al campo alla fine dell'allenamento, e se non si fosse rilassata sarebbe esplosa. Così, già che c'era, poteva perdere l'ultimo mezzo chilo con una corsetta.

Il mix di diete che aveva sperimentato nelle ultime settimane aveva creato l'effetto sperato, anche se quella a "zig-zag" l'aveva resa stitica. Evitò di fare jogging vicino allo stadio per non sembrare una groupie, come le aveva messo in testa Carmelina dopo ventitré minuti di conversazione. Sembrava dovesse andare a un provino di "Amici": scarpe nere, pantacollant neri, felpa nera con cappuccio e la scritta "Everything but the girl". Era convinta che la prima mossa per dimagrire fosse sposare il total black. Decise di correre dalla statua di Modugno a Cala Paura un po' di volte, perché l'alternanza di discesa e salita le faceva bruciare più calorie.

Il maestrale, sempre più incazzato, le dava l'impressione di aiutarla nell'impresa, perché le rendeva la salita ancora più aspra. Così pensava lei, concentrata soprattutto a stancarsi: più si stancava, più sarebbe stato facile lasciarsi andare al sesso e far capitolare Tony. Anche se era preparata su tutto – preliminari, sesso orale, sesso classico, sesso tantrico, conversazione post-orgasmica – aveva ancora qualche lacuna. Ma si considerava una grande improvvisatrice ed era fiduciosa. A ogni minuto di riposo ne approfittava per controllare il telefonino, con il terrore di leggere che Tony non poteva. Ma Tony la voleva! Le foto in reggiseno fatte dietro l'abat-jour erano state il colpo del k.o. Si possono fare monumenti all'abat-jour?

Gli stessi dilemmi adolescenziali, anche se con anni di differenza, facevano vacillare le sicurezze di Orlando, completamente in balia dell'umore dell'Innominato. I maschi, in realtà, non gli erano mai mancati, soprattutto da quando era andato a studiare a Bari. Però lui si era fissato con l'Innominato, che si faceva vivo quando voleva e quando poteva. Ogni volta che chiamava, Orlando prendeva la macchina e correva da lui. Piazzole, bagni di autogrill, capanne abbandonate, ulivi secolari. Avevano provato di tutto, ma era un amore malato. Lo desiderava perché non poteva averlo ed era ostaggio delle poche mezz'ore che trascorrevano insieme. Il sesso è la peggiore delle droghe, e unito a una storia impossibile può essere fatale: perché il desiderio non cala, l'appagamento è estemporaneo, l'autostima vacilla al momento dei saluti – non mi ama abbastanza – e tutti gli altri pretendenti diventano banali e scontati.

In realtà, anche l'Innominato dipendeva da Orlando. Era pazzo di quel ragazzo biondo e glabro, ma non abbastanza da mollare la donna che aveva. E anche se teneva il coltello dalla parte del manico, quella relazione rendeva fragile pure lui: avere un amante del tuo stesso sesso non è proprio un'alternativa alla tua donna. Ma per lui erano universi paralleli che non si sarebbero mai incontrati, e la sua testa era ormai abituata a tenere le due cose ben separate. Orlando, però, che non aveva un'altra storia, viveva in eterna punizione. Il tempo sembrava non passare mai e il calendario non aveva date da aspettare, perché gli incontri erano sempre imprevedibili. L'unica volta che si era fatto coraggio e gli aveva scritto "Ci vediamo per un caffè?", l'altro aveva accettato di incontrarlo in un bar solo per dirgli: «Mandami un altro messaggio come questo e te ne pentirai». Poi per dieci giorni era sparito.

Chiuso nella sua stanza, Orlando fissava il telefono nell'attesa di una conferma, controllando l'ultima visita dell'Innominato era andato su whatsapp. Gli vibrò tra le mani proprio in quel momento.

«Ciao Daniela, dove stai?»

«Ammazza, hai risposto subito. Scommetto che stai aspettando la telefonata di quello...»

«Dai piantala. Dove stai?»

«Sto a Bari, a casa di Lilia. Ieri abbiamo litigato ma per fortuna stamattina era un amore.»

«E perché si è arrabbiata?»

«Non voleva che venissi al matrimonio. Ha iniziato a dirmi "che ci vai a fare... se poi vi scoprono, se poi vi dovete baciare..." si è ingelosita, Orlando.»

«Ma poi l'hai convinta?»

«Certo. Sa benissimo che genere di donne piacciono a te... le ho detto quanto mi sei stato vicino quando ne ho avuto bisogno e lei non ha avuto più il coraggio di dirmi niente. In realtà era solo triste perché domani non staremo insieme. Ma stasera la porto ai Due Ghiottoni a mangiare i ricci di mare. Ehi, mi stai ascoltando?»

«Sì, avete mangiato ai Due Ghiottoni. Ma non potevi portarla alla Rotonda di Rosa?»

«Amore, io ti conosco e ti voglio bene. Ma domani dobbiamo stare concentrati altrimenti ci facciamo una figura di merda. Che ne dici se arrivo verso le nove, così mi fai vedere sta villa al mare e ripassiamo la parte?»

«Però prima di andare in chiesa magari ti porto a casa che i miei ti vogliono vedere...»

«Speriamo bene. Sto un po' nervosa... lo faccio solo per te.»

«Ti voglio bene, Daniela.»

«Zitto che mi fai piangere... ma l'Innominato si è fatto vivo o no?»

«Sì, sì. Forse dopo si libera e lo porto alla villa.»

«Mi raccomando non mi sporcate le lenzuola che mi fa schifo!»

«Piantala... a domattina. Telefonami quando sei a Mola che ti vengo a prendere là.»

«*Vabbù*, a domani amore mio. Ti amo.»

Orlando non le disse niente e gli venne finalmente da ridere. Daniela era un'iniezione di buonumore. Lo faceva scompisciare quando gli raccontava che i maschi non capivano che era lesbica e ci provavano lo stesso: «Per i maschi se sei una donna non puoi essere lesbica. Non gli viene nemmeno il sospetto!» gli ripeteva ogni volta.

Guardò l'orologio: le quattro meno dieci. In genere, quando si liberava, l'Innominato non si faceva mai vivo dopo le cinque, quindi aveva ancora settanta minuti di speranza. Intanto riguardava la camera dov'era cresciuto e, da quando avevano fatto la ristrutturazione – da quando cioè la casa era diventata "il Petruzzelli" – ci tornava sempre poco volentieri. Gli sembrava di dormire in una stanza d'albergo con tutti quei tendaggi barocchi che sua madre aveva fatto arrivare da Venezia. Si affacciò sul terrazzo e vide, davanti al bar Pino, qualche gruppetto che discuteva a voce alta del nuovo attacco di Juve e Inter. Poco più in là alcuni giovanissimi occupavano la sala giochi.

E mentre quel mondo gli sembrava lontano anni luce da quello che viveva a Bari – locali, sauna e bar – il telefono finalmente suonò, e non era Daniela.

«Ehi, ciao...»

«Dove stai?»

«A casa. E tu dove stai?»

«In giro... allora ci vediamo?»

«Se tu puoi.»

«Se te lo dico vuol dire che posso. Verso le sei ti va bene?»

«Sì.»

«Ci vediamo al distributore?»

«Veramente ho le chiavi della villa di San Vito.»

«Mi vuoi portare alla villa? Ma non ci stanno vicini, gente?»

«No, no. E poi in questa stagione le ville sono disabitate.»

«Va bene. Ho voglia di vederti nudo su un letto.»

Orlando si sentì mancare. Quando l'amore impossibile si materializza fa dimenticare all'istante tutte le sofferenze. Aprì la porta della camera con il terrore di vedere sua madre origliare, ma per fortuna era ancora di sotto a rimuginare su Ninella.

Riprese la conversazione abbassando la voce. Gli ripeté: «Abbazia di San Vito» un paio di volte. Si sarebbero visti lì, davanti al ristorante, dove avrebbero dato meno nell'occhio. E poi, in un attimo, sarebbero finiti in villa.

Riattaccò e cominciò a saltare: «Mi ama! Mi ama! Mi amaaa!».

Fu lì che entrò Matilde. Lo trovò con una postura così inverosimile che le vennero dei seri dubbi che la fidanzata si chiamasse Daniela.

16

Chiara e Damiano lessero le promesse senza sbagliare una parola.

Damiano, in particolare, non ebbe tentennamenti, forse per esorcizzare i propri dubbi interiori, o forse perché alle prove è sempre tutto più facile. Padre Gianni era abbastanza distratto per rendersi conto di qualcosa. Prima dimenticò un pezzo dell'omelia. Poi, come se nulla fosse, disse che Lella De Giorgi aveva la laringite e non poteva venire a cantare l'*Ave Maria*. Chiara sentì la terra mancarle sotto i piedi.

«E perché non ha chiamato me?»

«Mi ha detto che non si osava, talmente era dispiaciuta. Così mi ha chiesto di avvisarti... ma non preoccuparti. Ci sta il coro, ci sta il vostro amore, non è che c'è per forza bisogno della soprano per cantare l'*Ave Maria.*»

«Ma lei non è una soprano come le altre! Ha la voce scura, corposa... me lo sentivo che dovevo scegliere i Sense of Life!»

Damiano le fece cenno che stava alzando troppo la voce e lei lo fulminò con lo sguardo: come poteva non comprendere la gravità della situazione? Ma Chiara sapeva che padre Gianni non avrebbe potuto aiutarla, per cui lo salutò in fretta e con un po' di rabbia per la scarsa sensibilità.

Tutti i suoi problemi, Vito compreso, passarono in secondo piano. Doveva trovare una nuova cantante per la chiesa. Cosa se ne faceva dell'organista diplomato al conservatorio se nessuno cantava l'*Ave Maria*? Usciti in piazza, provò subito a chiamare Mariangela, che era staccata, un classico. In quei momenti solo una testimone ti può tirare fuori dal disastro.

Quando Damiano le disse: «Per la cantante non si bada a spese», lei un po' si tranquillizzò, anche se dubitava che una soprano di talento fosse libera un sabato di aprile.

Per fortuna Mariangela la richiamò.

«Che è successo, Chiaretta?»

«Non so come dirtelo... la soprano dalla voce nera... Lella De Giorgi...»

«Oddio, è morta?»

«No, ci mancherebbe... si è presa la laringite, almeno così ci ha detto padre Gianni, poi vai a sapere.»

«E mo' chi canta l'*Ave Maria*? L'hai messa pure nel librettino della messa.»

«Mariangela lo so già da sola che è un casino... tu mi puoi aiutare?»

«Ho un'idea! Rocco Spinelli!»

«Che c'entra Rocco Spinelli?»

«C'entra che lui conosce un sacco di gruppi della zona e mi deve un grosso favore... quindi sicuramente ci trova una brava cantante.»

«Mi raccomando la voce nera...»

«E chi se lo scorda. Ci penso io. Tu fatti le tue cose e ci sentiamo dopo.»

«Posso stare tranquilla?»

«Devi stare tranquilla. Parola di Mariangela.»

Non era calma per niente, ma finse di esserlo. Gliel'avevano detto tutti che all'ultimo sarebbero successi gli intoppi, per cui cercò di affidarsi al destino.

Chiara e Damiano guardarono l'orologio nello stesso istante. Avevano finito le prove in anticipo, ed entrambi, ciascuno a suo modo, avevano pensato al loro ultimo momento di libertà. Lui era innamorato della sua futura moglie, ma era ancora troppo innamorato di sé.

E anche lei stava facendo gli stessi calcoli per dare appuntamento a Vito Photographer. Incontrarlo l'avrebbe aiutata ad allentare lo stress. Sapeva che quella delle foto era solo una scusa per rivedersi, così come il finale del prefilm sugli scogli del Grottone. I messaggi cifrati si assomigliano tutti.

Così lasciarono il sagrato della chiesa piuttosto eccitati da quell'ultimo pomeriggio prima del sì. Altro che Renzo e Lucia.

Chiara ricordò a Damiano l'impegno con il fotografo, aggiungendo che magari li avrebbe aiutati a trovare una soprano per la chiesa, visto che aveva tante conoscenze. Lui non batté ciglio, anzi. Sapeva che quelle cose andavano per le lunghe. «E tu che fai mo'?» gli chiese lei all'improvviso.

«Devo vedere mio fr...»

«...»

«Fr...»

«...»

«Fr...»

«...»

«Fratello.»

«Ah, e dove andate?»

«Non lo so... dobbiamo ancora decidere.»

Lo guardò perplessa, ma immaginò si trattasse di una sorpresa per le nozze, anche se si era raccomandata con Cosimo che non voleva scherzi volgari. Si lasciarono con un generico "ci vediamo dopo" in vista degli ultimi accorgimenti organizzativi.

In realtà, per il matrimonio, oltre a Chiara avevano fatto molto le loro madri. Soprattutto Matilde, che era intervenuta su ogni cosa: le partecipazioni, la sala, i tavoli – la sua ossessione – il vestito, le bomboniere, l'intrattenimento. Aveva rotto perfino sulle scarpe da sposa, che Chiara si era dovuta far fare su misura da un artigiano di Martina Franca.

Ninella non si era mai opposta più di tanto perché inconsciamente sentiva che il vero oggetto della contesa era don Mimì.

Per un attimo, gli sposi ebbero paura che i loro pensieri fedifraghi potessero essere letti dai passanti, ma il vento li aiutò a distrarsi. Chissà se cala, si chiesero durante l'ultimo bacio, che uscì a entrambi un po' forzato.

Chiara entrò in casa per darsi una sistemata. Gli zii dormivano così forte che riusciva a sentirli dalla cucina. Di sua sorella restava solo un profumo di rosa. Di sua madre, invece, nessuna traccia.

Si chiuse in bagno, aprì il rubinetto per non farsi sentire e chiamò Vito. Cercò di essere sciolta e di sembrare pragmatica, come quando gli telefonava perché aveva trovato una casa da fargli vedere. E lui le rispose con lo stesso tono, senza malizia né battute, lasciando che si cucinasse da sola.

Poco dopo era in macchina verso Noci, che finiva di truccarsi agli stop, convinta di andare a fare foto per il suo album di nozze. Vito le aveva dato appuntamento vicino a una statua della Madonna, sulla statale, quasi per tranquillizzarla. Arrivò con troppo fard e un filo nervosa, ma quando lo vide si calmò.

Lui era molto più rilassato, e a lei di colpo tutto era sembrato lontano da ogni pericolo. Dopo aver lasciato l'auto in una piazzola, si erano inoltrati in mezzo a una natura che non conosceva dubbi né sfumature: il verde, il giallo, il rosso, erano netti, puri ed esplosivi. Finito un colore, cominciava quello successivo, senza spazio per l'interpretazione. Per questo Vito non si stufava mai di fotografare la sua terra, anche se sullo sfondo di mariti e spose: lo faceva sentire forte.

Ma ora su quello sfondo si staccava Chiara, a un passo dal suo obiettivo, in balia di una luce che ne esaltava i tratti e le poche lentiggini.

«Allora, com'è andata la prova in chiesa?»

«Bene, bene. Mi sono pure confessata...»

Di tutte le cose che poteva raccontare, scelse quella.

«Sei stanca?»

«Assai. Poi la soprano si è presa la laringite e stiamo messi malissimo. Sono nelle mani della mia testimone...»

«Se hai problemi fammi sapere che provo a chiamare il maestro Liuzzi.»

«Mariangela deve sentire Rocco Spinelli, ma in caso ti dico. Meno male che domani sera sarà tutto finito e poi lunedì finalmente si parte per la crociera.»

«Dove andate?»

«C'imbarchiamo a Bari e facciamo tutto il Mediterraneo. Io volevo andare alle Maldive ma Damiano sulle tratte lunghe ha troppa paura dell'aereo, mannaggia a lui, che i suoi ci pagavano il viaggio anche in Australia, se volevamo andare.»

Gli parlava a macchinetta perché aveva paura di fermarsi, mentre Vito cercava di metterla a fuoco.

«Ora vieni qui, siediti sopra questa roccia.»

E subito dopo averle sistemato le spalle, la zittì con un bacio. Lo fece senza darle un'alternativa, senza lasciarle il tempo di pensarci. Dopo anni di fidanzamento, Chiara sentì il sapore di una bocca diversa. Era più morbida di quella di Damiano, ma forse era semplicemente una bocca nuova. I suoi respiri avevano un'andatura inaspettata e questo sballottava Chiara, che sembrava non volersi più staccare. Gli toccò la testa rasata che le aveva solleticato la libido e si dimenticò temporaneamente di tutte le sue beghe.

Non aveva mai fatto sesso se non con Damiano e quel tarlo, alla lunga, l'aveva convinta che si stesse perdendo qualcosa. Ma non aveva avuto il coraggio di confessarlo a nessuno, nemmeno a Mariangela. Solo Vito l'aveva capita. Perché i bravi fotografi a volte sanno vedere al di là dei mariti.

Faceva freddo ma la foga li scaldava inchiodando Chiara contro la roccia, in un momento che entrambi avevano desiderato. Si palparono come se non avessero mai toccato un altro corpo. Non esistevano più le nozze e l'evento, esisteva solo il desiderio presente. Chiara non ci poteva credere che ci fosse un uomo diverso da Damiano, ma fu proprio quando se ne rese conto che tornò alla realtà, immaginando i suoi vicini di casa appostati dietro le piante.

«Vito, fermati... Vito. Fermati. Ti prego.»

«Perché?»

«Non me la sento.»

«...»

«Domani voglio guardare in faccia mio marito senza abbassare gli occhi.»

Ma lui riprese a baciarla con ancora più foga, afferrandole il collo quasi con forza. Lei lo lasciò fare come una bambola di pezza e lentamente le salì il disagio. Alla fine lo spinse via. Lui si fermò, e non se la prese, ormai conosceva le spose. Quando partiva il senso di colpa non si poteva più insistere.

Vito, invece, nei confronti della sua ragazza non ne provava mai, e attribuiva quella fila di tradimenti allo stress di lavorare mentre gli altri si divertivano.

«Chiara, scusami. Non so cosa mi è preso... però non riuscivo a toglierti dalla testa, dalla prima volta che ti ho visto all'agenzia immobiliare.»

«Se siamo arrivati a questo punto, la colpa è anche mia. Però, se ti dico basta è basta.»

Chiara, in realtà, si riempì il petto di orgoglio. Sapere di piacere a qualcun altro, oltre a Damiano, era una certezza che non aveva mai avuto fino a quel punto, e forse questo le bastava. Il complimento di Vito le tolse un po' di rabbia che aveva contro se stessa. Perché aveva capito subito come sarebbe andata a finire quella foto, ma ci sono pericoli che non possiamo – o non vogliamo – scansare.

Provò a tirare fuori un po' di carattere, e decise di chiudere lì la questione. Fosse stato un altro giorno, con meno pressione addosso, forse si sarebbe lasciata andare. Ma probabilmente senza quella non sarebbe mai arrivata a desiderare una testa rasata.

«Mi raccomando, Vito. Tu non sai niente e non è successo niente. So che posso contare su di te. Sei un bel ragazzo, e lo sai.»

«Dici? Ma sono pelato.»

«Allora diciamo che hai un tuo perché. Ci siamo trovati nel giorno sbagliato. Ma è comunque bello che ci siamo trovati, no?»

«Guarda che noi siamo qui per fare le ultime foto ma c'era troppo vento, non è vero?»

Per un attimo, Chiara sorrise.

«Esatto... e mi raccomando domani il prefilm. Com'è venuto?»

«Stanno finendo il montaggio in studio, mi hanno detto che è bellissimo.»

«Mi raccomando che dobbiamo sorprendere tutti.»

«Vedrai che resteranno a bocca aperta.»

«Speriamo... ora mi riporti alla Madonnina dove ho lasciato la macchina?»

«Posso prima abbracciarti ancora un attimo?»

Chiara allargò le braccia e si strinsero di nuovo, senza fraintendimenti, ma solo perché lei fece finta di non capire.

Vito ripose l'attrezzatura, e le diede ancora una pacca sulla spalla. Era una brava ragazza, lui ne aveva le prove. Voleva semplicemente provare l'ultimo brivido prima del sì.

Per cominciare a dimenticare quella debolezza, ripassarono l'agenda del giorno dopo. A che ora arriva Pascal, a che ora arriva il bouquet, quanti parenti verranno a trovarti in casa. Domande ordinarie per lui, straordinarie per lei.

Prima di mettere in moto, lei lo salutò con la mano e diede un'occhiata alla Madonnina. Accelerò con un forte senso di liberazione. Si sentiva turbata, ma più forte. Aveva incontrato il diavolo e non aveva ceduto alle tentazioni, perché ormai nella sua testa quell'incontro non era mai esistito. Non l'avrebbe mai raccontato a nessuno, nemmeno a Mariangela.

I sensi di colpa stavano invece affliggendo Damiano. Senza pensarci troppo, si era concesso una sveltina con la sua ex che non gli aveva dato alcun piacere.

Terrorizzato che qualcuno li vedesse nei parcheggi dell'imbarcamento, aveva caricato Alessia in macchina e si era imboscato in una stradina privata dalle parti di San Vito. Si era sbottonato quanto bastava, e le aveva affidato il giocattolo senza concedere nulla. Appena chiudeva gli occhi per lasciarsi andare, li riapriva per vedere se qualcuno li stesse guardando.

Si era dovuto concentrare per mantenere l'erezione, e Alessia quasi si era offesa. Ma era troppo determinata per mollare l'ultima occasione che aveva di accalappiarlo. Damiano lo intuì, e la trattò come una puttana.

Quando finirono, si sentì svuotato e apatico. Era in una bella macchina con una bella donna, ma se ne sarebbe tornato in paese a piedi. Tolse la retromarcia per avviarsi senza aggiungere altre parole, sebbene lei cercasse di fare conversazione. Arrivati al bivio per Polignano, incrociò senza accorgersene l'auto di Orlando.

Suo fratello invece riconobbe lui, la sua auto e la sua ex. Ma aveva altro a cui pensare e non gli fece nemmeno un colpo di clacson. In quel momento gli interessava solo rivedere l'Innominato.

17

Nella cucina di Ninella si respirava un'aria meno festosa di qualche ora prima.

La First Lady l'aveva offesa, negandole il riscatto nei confronti del passato e di Polignano: sposare uno Scagliusi e vedere suo fratello accompagnare Chiara all'altare. Inoltre, era sicura che zio Modesto avrebbe compreso la situazione, rinunciando al ruolo destinato a lui. Il problema era zia Dora, semmai, ma si sarebbero affrontate più tardi.

Dopo un'ora in cui vagliò tutte le possibilità, Ninella decise di riprovarci con un secondo tentativo. La signora Labbate, che l'aveva vista uscire ed entrare di casa mille volte, capì che qualcosa non stava andando come previsto, e in fondo gongolava. Quella partecipazione senza invito era stato per lei un colpo al cuore, e nel suo *pizzugo* era stata già soprannominata "L'esclusa". Ninella ormai si era anche scordata dei capelli. Percorse i vicoli senza badare né alle chianche né ai turisti, concentrata solo a inseguire la sua rabbia. Si attaccò al citofono del "Petruzzelli" come una testimone di Geova a fine giornata. Esausta. Stranamente – ma il destino non è mai strano – rispose don Mimì.

«Chi è?»

«Sono Ninella... dovrei parlare ancora con Matilde.»

«Salga. Il codice dell'ascensore è...»

«Non si disturbi, salgo a piedi.»

Darle del lei era una punizione che lo faceva ancora soffrire, ma sembrava l'unico modo per tranquillizzare sua moglie.

Mentre saliva le scale, Ninella pensava a quanto se la credevano ad avere l'ascensore, che tutte le palazzine ce l'hanno. Ed era grazie alle scale che lei non aveva cellulite, almeno le pareva così. Certo il loro era privato e arrivava direttamente in casa come nei film americani, e non perdevano occasione per fartelo notare. Nel frattempo don Mimì aveva già preso una decisione. Matilde, come una suocera da melodramma, era pronta allo scontro finale. Andò in camera a mettersi addirittura le scarpe.

Quando Ninella vide don Mimì sulla porta, si sentì al sicuro. I suoi occhi scuri, appoggiati allo stipite, valevano come un abbraccio. Erano gli occhi del marito che avrebbe voluto e che poteva cambiare la sua vita. Non ne aveva le prove, ma sentiva che era così. Le passò subito la rabbia.

«Entri, Ninella, entri. *Ce dè?*»

«Non so se le ha parlato già Matilde, prima.»

«No, ma so la questione.»

La First Lady comparve in quell'istante. Aveva nello sguardo una rabbia che cercava di controllare, ma anche un certo senso di impotenza, come se sentisse di non avere più nessuna arma a disposizione, a parte le scarpe nuove, la collezione di animaletti Thun, le cialde all'amaretto e l'ascensore. Davanti a suo marito, sebbene in una cucina high tech ancora impregnata dell'odore delle polpette, sapeva che la decisione non spettava più a lei.

«So che può essere un po' imbarazzante, e capisco i dubbi di mia moglie, ma se vuoi fare accompagnare tua figlia da Franco, *pi mai ve bun...*»

Le aveva dato del tu, che per Ninella equivaleva a un'ammissione di colpevolezza.

«... Ha sbagliato, ma ha pagato. È stato in carcere a Turi... chi siamo noi per vietargli questo momento? E poi è passato tanto tempo e domani si sposa uno Scagliusi. Nessuno avrà niente da ridire.»

Fu la prima decisione della sua vita.

«Ma lei, Matilde, è d'accordo?»
«Se mio marito ha detto così, la cosa vale anche per me.»
Furono parole così cariche di odio che Ninella si sentì trafiggere. "Se mio marito ha deciso così" equivaleva a una sassata. Ma quell'odio rivelava anche quanto in fondo Matilde conoscesse l'uomo che aveva sposato, e il pericolo che quella donna rappresentava: l'amore libero, proibito e passato. E non c'è niente di peggio che combattere contro un ricordo che il tempo, anziché sbiadire, colora ulteriormente. Lei aveva deciso che poteva solo accettare quel ricordo senza riaprire la questione. Era troppo intelligente per non capire che il suo matrimonio era da sempre ancorato a quel silenzio. Tu non chiedere, si diceva, e tutto andrà bene.

Poi erano arrivate queste benedette nozze, e qualche certezza era vacillata. Le due persone che lei faticava a vedere nella stessa chiesa la domenica avrebbero dovuto condividere il giorno più importante per i loro figli. E suo marito che all'ultimo l'aveva screditata davanti alla rivale era stato il colpo di grazia. Era però troppo stoica per mostrarsi sofferente, per cui accettò suo malgrado la decisione.

Ninella la ringraziò per la comprensione, ma i suoi occhi erano solo per don Mimì. Quel gesto, per lei, era una nuova promessa d'amore. Accettò il terzo caffè per non sembrare scortese – le andò meglio con la cialda al caramello speziato – ma avrebbe avuto soltanto voglia di uscire e gridare "mi amaaa" come un'adolescente.

Invece si accontentò di dire «un cucchiaino e mezzo» e poi, per farsi perdonare, concordò le modifiche al décolleté.

La First Lady si sentiva così atterrita che disse che forse lo scollo avrebbero potuto tenerlo anche così, ma Ninella era una donna di parola e non voleva un'altra guerra. Il matrimonio di sua figlia doveva nascere sotto i migliori auspici. Quel caffè, che a entrambe sembrò eterno, venne così occupato a parlare del tavolo dove sistemare zio Franco e del bouquet, su cui entrambe erano d'accordo: meglio semicascante.

Don Mimì invece si sedette facendo finta di leggere "Blu", la sua bibbia polignanese, e con il naso, di nascosto, cercava l'odore di Ninella. O forse l'odore era solo nella sua testa.

I rintocchi lontani della chiesa gli ricordarono la ragione per cui quella donna era lì: il matrimonio di Damiano. Il protagonista di quella storia, purtroppo, non era lui. Ma i suoi pensieri erano così concreti che le due donne, nella stanza, sembrarono percepirlo. E tutte e due s'impegnarono a finire il caffè in un sorso.

18

Di fronte a quell'abbazia, davanti a un sole fuggente, Orlando sentì la felicità passargli accanto, e l'afferrò. Una serata con l'Innominato non aveva prezzo, se non quello di portarlo a deprimersi non appena andava via. Viveva aspettando quell'ora che ne valeva mille, e forse aveva ragione. Si era fatto un paio di prosecchi al bar Max, prima dell'appuntamento, per scaldarsi un po'. E l'agitazione gli aveva fatto dimenticare anche l'incontro in macchina con Damiano e la sua ex, Alessia, che conosceva bene. Rivederli insieme, a poche ore dalle nozze, gli aveva fatto capire l'ipocrisia del mondo di cui non riusciva a far parte.

La doppia vita di Orlando non era triste. Solo un po' faticosa, a volte. Ogni tanto doveva essere pronto a salire sul palco e recitare una parte: ma adesso lui aveva Daniela. E Daniela aveva lui. Quando gli avessero chiesto della fidanzata, avrebbe parlato di lei. E se la sua presenza diventava necessaria – matrimoni, feste, cerimonie – l'avrebbe convinta ad accompagnarlo: peccato che l'esordio capitava in un'occasione così speciale senza avere fatto le prove.

In realtà, Orlando si faceva molti più scrupoli di quanto servisse: a Bari poteva fare tranquillamente la sua vita, e a Polignano molti sapevano, ne era convinto, e non si sarebbero scandalizzati più di tanto. Il suo, più che il timore di un giudizio, era il rispetto per la sua famiglia.

Voleva tutelare gli Scagliusi dai pettegolezzi: in fondo ne era orgoglioso, anche se non era diventato il figlio che avrebbero voluto. E a pensarci bene neanche Damiano, che usciva con la ex il giorno prima delle nozze, era migliore di lui.

Orlando aveva ancora i nervi troppo tesi per porsi domande, mentre guardava con apprensione le macchine in arrivo cercando quella del suo amante. Come quando aspetti le valigie in aeroporto, e ti sembra che l'unico bagaglio mancante sia il tuo, mentre tutti gli altri se ne vanno contenti. E finalmente, come nei pochi sogni che riusciamo a realizzare, l'Innominato spuntò dalla curva come se nulla fosse.

«Sali, sbrigati» gli disse aprendogli la portiera della sua Punto. E lui, con un guizzo che neanche ai "Giochi senza Frontiere", montò in macchina e sorrise, monello, toccandogli la coscia. Era tornato ragazzino.

«Piano, piano, che ancora ci vedono. Allora, dove cazzo è sta casa? Che tra un'ora devo andare...»

«Vedi che è qui vicino, rilassati.»

«Ma sei sicuro che non ci sta nessuno?»

«Tranquillo, sono già andato a controllare prima, ho sistemato un po' di cose, ed è tutto a posto. Quando parcheggiamo la macchina, dalla strada non si vede proprio.»

Dopo pochi minuti erano lì, il cancello chiuso alle spalle, gli occhi a spiare i vicini, il desiderio che spazza lentamente la paura e poi, una volta arrivati in camera, si trasforma in imbarazzo.

«Ma cosa ti è venuto in mente?»

Orlando sentì un secchio di acqua gelata sulla testa, ma fece finta di nulla. Sei un coglione, si diceva, sei un coglione. Forse aveva esagerato, e pensare che Daniela glielo aveva ripetuto allo sfinimento. Sul tavolino della camera aveva allestito un buffet che neanche alla Casa Bianca: pizzette, croissant, dolci, taralli e, naturalmente, champagne.

«Volevo festeggiare questo nostro appuntamento.»

«Ma io tra un'ora devo andare... che festa e festa... vedi di spogliarti subito, dai.»

L'ordine, anziché indispettirlo, lo eccitò. Quell'uomo riusciva a farlo capitolare usando soltanto la sua voce. Poi, come compariva il crocefisso d'oro sul petto villoso, a Orlando partiva completamente la brocca. Ma l'attrazione era reciproca e l'Innominato, davanti all'evidenza, si arrendeva ogni volta a un'erezione.

Per la prima volta da quando si conoscevano fecero l'amore su un letto, senza paura che qualcuno li spiasse o addirittura li denunciasse. Ci misero più del solito e finalmente si videro completamente nudi, liberi di essere felici, anche se Orlando era sempre un po' più felice.

O forse aveva solo un modo più disinibito di mostrare quello che era. Dopo molti mesi, l'Innominato non aveva ancora svelato il suo vero nome: «Mi chiamo Oscar» gli aveva detto una volta. Ma lui sapeva che era una bugia: non ci sono Oscar a Monopoli. Anche se qualcosa di lui aveva capito: era sposato, perché aveva il segno della fede, e probabilmente aveva figli piccoli, perché una volta aveva visto un secchiello sul sedile posteriore della sua auto. Non aveva mai chiesto nulla, però. Neanche al suo amico carabiniere, che dal numero sarebbe risalito alla verità, ma la verità sarebbe stata la sua fine.

Sapeva che quella specie di relazione funzionava solo in assenza di domande, l'amore è innanzitutto non rompere.

Per questo, mentre si rivestivano, dopo quaranta minuti di sesso acrobatico, Orlando ci tenne a precisare che tutto quell'ambaradan che aveva montato erano solo avanzi.

«Sai, si sta per sposare mio fratello e quindi abbiamo la casa invasa di ogni ben di dio.»

«Ah.»

«Vuoi un pasticcino?»

«No, grazie, devo scappare.»

«Champagne e taralli? Li ho presi alla Salsamenteria, sono i più buoni di Polignano.»

«Champagne e taralli non è male. Se ti muovi ad aprire la bottiglia, dai, ci facciamo sto brindisi.»

E con un'inspiegabile abilità, Orlando riuscì a stappare senza problemi – si sentì molto virile – a versare lo champagne nei bicchieri e a fare cin cin in un modo quasi naturale.

Fuori il vento tuonava, ma lui non lo sentiva. Era la piuma di Forrest Gump che volava per casa, anche se per poco. L'Innominato, come dopo ogni orgasmo, si sentiva in colpa e voleva fuggire. Stranamente, tentennò. Le pareti di casa lo facevano sentire al sicuro, e lo champagne gli aveva dato euforia.

Orlando era sul punto di placcarlo per la prossima volta – domenica puoi? lunedì puoi? martedì puoi? – ma l'altro gli mise una mano sulla bocca. Lo zittì. E, per la prima volta, lo baciò.

Fu un bacio violento e timido al tempo stesso, un po' goffo ma sincero. Orlando non se lo aspettava, per cui assunse una posa stile *Casablanca*. L'Innominato apprezzò, anzi, si eccitò ulteriormente. Amava dominare la situazione, ed era questo che lo mandava completamente fuori di testa.

Con sua moglie la vita non era così.

Uscirono con le accortezze dei ladri, attenti a ogni possibile movimento di vicini che non c'erano, e fino a giugno non sarebbero comparsi. In macchina non si dissero niente, concentrati com'erano a guardarsi intorno. Quando arrivarono nei pressi dell'abbazia, "Oscar" era tornato una stalattite delle grotte di Castellana.

«L'acqua la rimani in macchina?» gli disse. E Orlando, che avrebbe voluto un addio più romantico, non riuscì a trovare frase più mielosa di: «Sì, così quando hai sete ti ricordi di me».

Lo salutò con una carezza sulla portiera che lo lasciò presto solo, perché la macchina sgommò via. Fu un piccolo colpo di clacson a riaccendere le speranze. Quel suono equivaleva a un occhiolino, a un'altra carezza. Una speranza cui aggrapparsi mentre guardava il suo telefono sperando che vibrasse presto.

19

Avere diciassette anni è come vivere costantemente sotto l'effetto di droghe sintetiche. Ogni sussurro è un megafono e ogni nuvola un temporale. E Nancy, anche per via di quei chili che per lei erano sempre troppi, non aveva avuto il coraggio di confidarsi neppure con Carmelina, che continuava a chiamarla immaginando le peggiori cose.

Chiara la trovò vicino a casa in preda alla disperazione e improvvisamente si sentì incastrata. Mariangela non le rispondeva al telefono per dirle della soprano e la situazione stava diventando drammatica. Doveva trovare una soluzione, ma gli occhi di Nancy le stavano dicendo che non esisteva solo la festa di matrimonio. Impegnata a correre dietro ai preparativi, Chiara non si era resa conto che la sua sorellina aveva bisogno di lei.

Sentì aprirsi il cuore. Troppe volte, per paura di sbagliare, si era scordata di averlo. Il modello di riferimento era sua madre, ma Ninella non era così. Era solo brava a dissimulare gli stati d'animo con un controllo esasperato.

Nancy si sentiva talmente a terra che sputò fuori la verità. Tony. Tony il calciatore. Tony che l'aveva sedotta con gli sguardi prima e gli sms poi, Tony che le aveva promesso il trullo, Tony che le aveva fatto dimenticare il ragazzo di Napoli. Tony non si era presentato all'appuntamento. O meglio: era apparso, ma aveva fatto finta di non vederla. Era salito in macchina con una bionda «truccata come una che frigge i polpi» diceva Nancy, e a tutte e due, per un attimo, era venuto da ridere, anche se Chiara sembrava la studentessa che è stata assente troppo tempo, è rimasta indietro su tutto e non capisce più le battute. In realtà, oltre che per la soprano, era ancora scioccata da quello che aveva fatto con Vito, per cui non riusciva a essere completamente lucida. Ma poi la fontana riprese, e Chiara spalancò le braccia e disse: «Vieni qui, piccola mia, vieni qui».

«Ma io non sono piccola!»

«Sei grande, ma sei piccola.»

«Vuoi dire che sono troppo grassa per la mia età?»

«Ma no, è un modo di dire. Nessuno è mai grande abbastanza.»

Chiara continuava ad abbracciarla e Nancy sembrava non desiderare altro.

«Sì, ma tu domani ti sposi e io sono ancora vergine.»

«E ci mancherebbe che tu non fossi ancora vergine!»

«Non mi dirai che ti sposi ancora vergine perché non saresti normale.»

Forse aveva sottovalutato sua sorella.

«Se non rispondi vuol dire che ho ragione...»

«Se lo dici tu.»

«Comunque sono l'unica del mio gruppo insieme a Carmelina... le due sfigate. Non le ho neanche risposto al telefono che mi fa sempre venire i nervi, lei e i suoi principi.»

«Meno male che c'è ancora qualcuno che ha dei principi.»

«*Vabbù*, lasciamo perdere... mi aggrapperò ai ricordi... continuerò a raccontare della volta che ho fatto petting con Nicola e non mi sono neanche divertita. Quel cretino mi stringeva le tette così forte che mi hanno fatto male per tre giorni.»

Chiara scoprì che sua sorella era un mondo, e lei non se n'era mai accorta. La prese per mano e la portò via da lì: troppe orecchie intorno, troppo vicina sua madre, troppo vicina la signora Labbate. E soprattutto, troppe notizie tutte insieme. Le venne il dubbio che avesse passato tanti anni in mezzo alle case che vendeva, perdendo di vista le persone. Ora sua sorella, in poche battute, le aveva vomitato un'adolescenza che lei non aveva mai conosciuto veramente, attenta com'era a fare la figlia perfetta e la sorella maggiore. E anche se non era andata all'università, il diploma di ragioneria a Castellana aveva comunque una sua dignità. Poi si sentiva forte perché assomigliava a Ninella: un fiore altrettanto profumato, solo meno prorompente.

Nancy, invece, era sicura di non essere la sirenetta di casa, anche se aver perso quei chili l'aveva fatta sentire una star. Peccato che Tony le avesse interrotto bruscamente la carriera. Doveva essere solo un flirt ed era diventato un grande amore, ma aveva fatto tutto da sola. E quando Chiara, accarezzandola, le disse: «Che pelle liscia...», lei dimenticò istantaneamente tutti i suoi problemi.

In fondo, era più importante essere bella che non essere più vergine. Quel momento d'inedita dolcezza venne interrotto dalla telefonata di Mariangela, che fece ripiombare Chiara nella realtà.

«Dimmi che hai trovato la soprano...»

«Chiara sei tu?»

«Sì, sono io, dimmi che l'hai trovato.»

«Guarda sto incazzatissima che ce l'avevamo quasi fatta ad avere i Sense of Life ma mi hanno appena chiamato dicendo che non possono.»

«Gli hai detto che non si bada a spese?»

«Certo che l'ho detto e Rocco sta facendo il possibile... ha chiamato tutti: I Gospel Sound, Roberta Russo... ha provato anche Rocco Sugar di Matera. Il problema, Chiara, è che ti sposi domani! Perché non chiedi a tua sorella?»

«...?»

«È bravissima e anche se sbaglia nessuno avrà niente da ridire!»

«Dici? È qui con me, mo'...»

«E allora chiediglielo!»

«Ma hai provato a risentire Lella De Giorgi?»

«Sì, l'ho sentita ma è sotto antibiotico, sta messa male. È tardi per cercare, dai retta a me... domani a quest'ora saremo già alla sala.»

Qualcuno gliel'aveva tirata, ormai Chiara ne era convinta. Prima di tutti la signora Labbate che faceva su e giù per cercare di capire le telefonate e pubblicarle sul "Gazzettino di Polignano". E poi sospettava di un'altra collega di "Case di Puglia", un po' gelosa dell'amicizia tra lei e Mariangela. Ma non c'era tempo da perdere e riattaccò subito.

«Senti, Nancy... vorrei chiederti un favore.»

«Dimmi.»

«È un favore grande, ma sono sicura che mi dirai di sì.»

«Prima dimmelo.»

«Canteresti domani l'*Ave Maria* per me?»

«Ma non doveva esserci Lella De Giorgi?»

Chiara pensò che quella domanda sarebbe stato il leit-motiv delle sue nozze.

«Sì ma si è presa la laringite... mo' è sotto antibiotico. Mariangela ha provato a chiamare i Sense of Life, ma niente... domani non possono.»

«E io chi sono, la ruota di scorta?»

Non era proprio giornata.

«Ma va'... io avevo pensato subito a te, ma poi mi è venuto il dubbio che magari la gente pensasse che volessimo risparmiare.»

«Seee, vabbè. Ora ci penso ma non mi venire a raccontare queste cazzate a me.»

Chiuse gli occhi un istante. Si vide col suo vestito rosa, aderente e scollato, gli occhi truccati come Amy Winehouse e poster in tutto il paese a caratteri cubitali: "Nancy Casarano Live". Strillò un «Sì» con così tante "i" che a Chiara prese un colpo.

L'unico dubbio di Nancy era che l'*Ave Maria* l'avevano cantata tutti, anche Bono Vox. Secondo lei, era troppo commerciale e ai matrimoni serviva solo per rovinare il trucco alla madre della sposa. Così la convinse a chiedere a padre Gianni di cantare *Yes Jesus Loves Me*, che l'aveva fatta una volta anche Alessandra Amoroso. Era più raffinata. E dopo aver ottenuto quel rapido sì – non c'erano alternative – Chiara venne trafitta da una domanda che non si era mai posta.

«Sei felice?»

In quello spazio di confine tra terra e mare, le venne in mente la trattativa di una casa. Una coppia bramava un appartamento vicino al mare, dalle parti di Trani, ma non riusciva ad arrivare alla cifra richiesta. La proprietaria lo venne a sapere. Erano ragazzi che conosceva di vista, e potendoselo permettere abbassò sorprendentemente il prezzo. Ci mise un po' a decidersi, tergiversava, diceva che ci doveva pensare, che in fondo non aveva fretta, che forse non l'avrebbe più venduta. Poi un giorno la signora aveva incontrato i ragazzi per strada, mano nella mano, mentre guardavano i prezzi fuori da un ristorante. Lei non aveva mai guardato i prezzi fuori da un ristorante. Così chiamò l'agenzia e fece il più grande regalo della sua vita, senza una ragione precisa. Quando Chiara incontrò i due per dirglielo, non riuscivano a crederci, e fu il ragazzo a commuoversi. In quel momento capì cos'era la felicità, e si chiese se si sarebbe mai sentita così.

«Allora, sei felice o no?»

«Ci sto pensando...»

«Se ci stai pensando allora non sei felice.»

«Non è vero.»

«Io ad esempio lo so sempre se sono felice. Adesso sono infelice per Tony e sicuramente domani starò peggio.»

«Ma domani è il mio matrimonio.»

«Hai detto bene: il tuo. Io sarò ancora single e ancora vergine. Come fai a non essere gasata che domani tutti ti guarderanno?»

«Invece ho un po' paura.»

«Anch'io avrei paura con le modifiche che ti ha chiesto la First Lady...»

«Le modifiche! Le hai viste? Le ha finite mamma?»

«Se non ha la testa da un'altra parte, sì... secondo me è innamorata.»

Chiara si concesse una risata nervosa. Sua sorella le stava dimostrando di essere molto più acuta di lei, che non si era mai posta troppe domande. Il sole stava tramontando, e lei aveva bisogno di stare sola. Il telefono però riprese a suonare, e il sorriso di Damiano le apparve sullo schermo:

«Dove stai?»

«Sto qui con mia sorella a farci quattro passi.»

«Com'è andata?»

«Com'è andata cosa?»

«Le foto! Il pr...»

«...»

«Pr...»

«...»

«Prefilm!»

Qualche secondo di troppo. Chiara aveva talmente rimosso l'avventura con Vito che aveva cancellato anche i contorni della scena.

«Ah le foto, insomma... c'era vento. Scusa ma sto un po' fusa, Mariangela non è riuscita a trovare nemmeno una soprano e ho dovuto chiedere a mia sorella.»

Nancy la guardò grata.

«Ma hai detto a Mariangela che non badavamo a spese?»

«Sì, ma nessuno viene oggi per domani se hanno già dato la parola a qualcuno.»

«Mia madre lo sa che canta Nancy?»

«No, a sto punto le facciamo la sorpresa...»

«*Vabbù*... ma ci vediamo stasera?»

Damiano aveva l'urgenza di rivederla per dimenticare il tradimento appena consumato. Chiara aveva l'urgenza di rivederlo per ritrovare un po' di serenità. Nancy la guardava cinicamente perplessa, consapevole che Chiara avrebbe fatto la fine di sua madre. Una casalinga disperata. Ma non le disse nulla, anzi le sorrise. E sua sorella riprese coraggio.

«Certo che dobbiamo stare insieme stasera. Ma adesso devo sbrigare ancora un po' di cose, devo riprovare il vestito con la modifica che ha chiesto tua madre...»

«Mia madre ha chiesto ancora una modifica?»

«Sì, ma una roba piccola, e la cosa non ti deve interessare.»

«Mia madre non capisce un c...»
«...»
«C»
«...»
«Cazzo.»
«Sta un po' agitata, la devi capire. Comunque stasera devo pure mangiare coi miei zii di Castelfranco che altrimenti si offendono.»
«Allora ci vediamo dopo cena, che dici? Ci facciamo un giro in macchina.»
«Va bene amore mio.»
«A dopo amore.»
Non si erano mai chiamati veramente amore. Era giunto il momento.
Anche se, forse, era troppo tardi.

20

Don Mimì si sentiva vigliaccamente colpevole. Quando gli era apparsa Ninella, così determinata e così piena di spine, l'aveva fatta vincere.

Si avvicinò a Matilde e le disse: «Vieni qui». Lei faceva finta di sistemare le foto disposte nella sala degli specchi: la prima comunione di Damiano, la prima comunione di Orlando, tutti e quattro insieme a Fasano per l'ultimo anniversario di matrimonio.

«Smettila di sistemare» le impose. E Matilde si fermò senza opporre resistenza.

«E se arrivano i ragazzi?» provò a dire, mentre lui andò a bloccare l'ascensore per evitare rischi. Sapeva che così sua moglie si sarebbe tranquillizzata e poi, facendola godere, lo avrebbe perdonato. Così le impugnò un braccio, la spinse contro la porta della cucina e la baciò come sapeva fare e non faceva mai abbastanza. Con la lingua che s'infilava e restava ferma, a toglierle il respiro, che Matilde prese quasi come una punizione. In fondo, sapeva che non si era comportata bene. E adesso era lì, in balia di un marito che voleva dimostrarle chi decideva in quella casa, e la penetrava con cattiveria, gli occhi chiusi per non vederla. Matilde capiva tutto – lo sentiva – e si accontentava di avere quel corpo dentro di sé. Per lei era già tanto.

Dopo anni, malgrado la stanchezza, si concesse in un amplesso così trasgressivo da sembrare disperato. Si fece prendere da dietro, s'inginocchiò, fece cose insolite per lei. E alla fine le piacque.

Godette così tanto che quasi si vergognò. Quell'orgasmo la liberò di tutte le paure che l'arrivo di Ninella le aveva causato. E don Mimì si sentì fiero della sua performance. Sembrava lontana la malinconia del mattino e dei *Ponti di Madison County*, i dubbi di non essere stato un buon padre. Per un attimo si convinse di avere di nuovo in pugno la situazione, e questo era importante. Ma in fondo sapeva che nel momento in cui hai visto in faccia la verità, difficilmente potrai dimenticarla.

Anche Ninella avrebbe difficilmente dimenticato la faccia di zia Dora, quando le aveva detto che zio Modesto non avrebbe più portato Chiara all'altare. Le aveva raccontato per filo e per segno cosa era successo davanti a Lucia Coiffeur, convinta che non servissero troppe parole per avere ragione. Ma i silenzi di zia Dora – gli occhi sgranati – le avevano fatto capire quanto fosse sensibile su certe questioni. «Queste cose a Castelfranco non sarebbero mai successe» disse come se ormai ne fosse cittadina onoraria. In realtà, quella brutta notizia le consentì di tacere sul problema che da giorni l'affliggeva. Lei e zio Modesto non sarebbero riusciti a mettere più di 400 euro nella busta da regalare agli sposi. Erano pieni di debiti e avevano pensato di uscirne investendo i loro risparmi in fondi azionari che erano calati a picco.

Quella specie di declassamento alle nozze avrebbe giustificato anche una busta più leggera. Per quanto fosse seccata, quindi, zia Dora sentì che non era poi una notizia così cattiva come voleva dare a vedere, gli occhi fissi su quei colpi di sole che non l'avevano mai convinta. Abbracciò Ninella, che rimase di sasso, pensando di essere sicuramente molto più brava a cucire che a capire le persone. Anche se qualche dubbio, quell'abito bianco, gliel'aveva messo in testa. La modifica era piccola ma avrebbe potuto rovinare tutto. Lei però detestava le persone afflitte da finta modestia. Se uno è bravo deve avere il coraggio di ammetterlo. Per cui se lo disse da sola: "Il vestito con le modifiche è venuto proprio bene, anzi. Lo scollo così è ancora più bello!".

Quando Chiara rientrò con una Nancy finalmente rincuorata, realizzò che il grande giorno, ormai, era arrivato.

Aveva il terrore di vedere com'era cambiato lo scollo, così cercò di prendere tempo con le altre cose che doveva sbrigare. Sentì padre Gianni e Viviana, l'organista, per convincerli a sostituire l'*Ave Maria* con *Yes Jesus Loves Me*. Entrambi provarono a opporsi, ma alla fine si rassegnarono con un *vabbù*. Poi chiamò la flower designer per convincerla a sostituire le calle con le ortensie. Dopo un quarto d'ora di appassionato dibattito, fu Chiara in questo caso a rassegnarsi: «*Vabbù*».

Non le restava che affrontare il vestito. Salì di corsa e lo trovò sul manichino al centro di camera sua. Era talmente felice di constatare che non fosse troppo cambiato, che quasi non si accorse delle modifiche. Sì, lo scollo era un po' più chiuso, ma quelle trasparenze forse l'avrebbero resa addirittura più sexy. E poi non si vedeva la cucitura. Urlò: «È bellissimooo» così forte che salirono tutti da lei.

«Sei sicura di stare bene, Chiara?»

«Sì, mamma. Sto bene. Benissimo. E hai fatto un gran lavoro come sempre... quasi non si vede la differenza. Ma la cosa più importante è che domani finalmente ce l'avrò addosso.»

«A me così sembra il vestito di una suora.»

Nancy non fece in tempo a finire la sua frase da guastafeste che si beccò un ceffone davanti a tutti, incassando senza reagire.

«E *muvet* a preparare la tavola.»

Ninella poteva tollerare tutto, ma non che le dicessero che non era una brava sarta. E anche se si era già pentita di quel gesto, era contenta che sua cognata apprezzasse la sua autorità in casa. In un attimo si dileguarono e ciascuna tornò alla sua postazione.

I preparativi per la cena aiutarono ad alleggerire la tensione. Anzi, a ritrovare un po' di allegria. A Ninella però spettava un ultimo compito: telefonare a suo fratello e prendere accordi per il giorno dopo. Ancora non le sembrava vero quello che era successo e sentiva una gran confusione. Lui, invece, nel frattempo si era agitato perché temeva che il doppiopetto non fosse all'altezza, e le scarpe non erano proprio nuove, ma non ebbe il coraggio di ammetterlo. Le ripeté «tutto a posto» almeno tre volte, e a lei tornò in mente che aveva detto «tutto a posto» anche poco prima di essere arrestato.

Chiara, al piano di sopra, era di nuovo persa davanti allo specchio. Si guardava e si riguardava, e non riusciva a credere ai propri occhi. Un incubo che le sue mani prima e l'acqua poi avevano provato a cancellare.

Sul suo collo era comparso un succhiotto.

Un piccolo succhiotto.

E non era di Damiano.

21

«Chiara, dove stai?»

«A casa, abbiamo finito di cenare adesso. E tu dove stai?»

«A casa pure. Ci stanno i miei che cominciano a sentire l'agitazione...»

«Perché?»

«Come perché? Per il nostro m...»

«...»

«M...»

«...»

«Matrimonio.»

«E tuo fratello?»

«Orlando se ne sta di là attaccato al telefonino. Io non so che c'avrà da dire sempre a sto telefono.»

«Magari parla con questa Daniela... ma è sicuro che viene domani?»

Ad ascoltare di nuovo la voce della sua futura moglie, Damiano si calmò.

Si sentiva ancora rodere dal tormento e aveva la necessità di conferme. Aveva confessato tutto a Cosimo, al bar, che ancora un po' lo menava. «E che fretta avevi di fare le corna il giorno prima, coglione?» gli aveva detto sottovoce, tra i denti. «Per tradire non devi avere fretta. E mai con una ex!»

E lui annuiva anche se un po' iniziò a fargli paura, tutto quel cinismo. Sentiva il bisogno di essere perdonato dalla sua ragazza e non sapeva aspettare. Alessia gli aveva mandato ancora un messaggio in cui gli diceva quanto era stata bene. Il che significava: "Ripensaci". E lui, immediatamente, capì che l'unica persona che doveva chiamare era Chiara. Avrebbe voluto aspettare mezzanotte e cantarle una serenata, come aveva fatto un altro suo cugino, con tanto di chitarrista per strada.

Ma temeva di essere troppo cozzalo.

Per quanto il suo tono sembrasse naturale, anche Chiara non era a proprio agio. Aveva la sensazione che Damiano potesse vedere quell'inequivocabile segno che le campeggiava sul collo. Lui quasi lo percepì.

«Tutto bene, amore?»

«Sì, tutto bene. Sto un po' così, che mia madre ha discusso con mia zia perché domani all'altare mi porta zio Franco, quello che aveva avuto qualche problema, ti ricordi?»

«L'importante è che tu arrivi all'altare, chi ti porta ti porta.»

«Certo che arrivo. Tu aspettami, però.»

Provavano a scherzare, ma avevano paura. Paura per quello che avevano fatto e che avevano nascosto. E soprattutto paura per ciò che questo poteva significare. Ogni amore custodisce almeno un segreto e solo alcuni non ne hanno timore: gli adolescenti, gli anziani e i disperati. Per tutti gli altri, la vita mette sempre trappole in cui è possibile cadere, l'importante è che nessuno ti veda.

A questo pensava Chiara, dopo aver messo giù. La innervosiva aver ceduto alla tentazione di Vito proprio allo scadere della data. Non aveva troppo tempo per prepararsi, e quel succhiotto le azzerava ogni sicurezza. Per quanto fosse un segno lieve, avrebbe potuto rovinarla per sempre.

Accese il pc e chiese aiuto a Google, che suggeriva di: fare impacchi di aceto; stendere il fondotinta; applicare il copriocchiaie; indossare una sciarpa o una maglia a collo alto; effettuare un impacco con il classico dentifricio.

Provò con un po' di aceto, in bagno, ma l'odore che si diffuse la rese subito perplessa e, nella sua immagine davanti allo specchio, vedeva solo il peccato. Già s'immaginava davanti alla chiesa, mentre salutava i parenti, che l'annusavano come se fosse un'insalata condita.

Non può essere, si ripeteva, non può essere. Com'è potuto accadere che Vito mi facesse un succhiotto il giorno prima del matrimonio? Ma che razza di professionista è? Era in preda al delirio, mentre continuava a fissare lo specchio.

Ninella, insospettita da quella lunga sosta in bagno, bussò e si fece aprire.

«Tutto bene, Chiara? Cos'è quest'odore?»

«Niente, ma'. Esperimenti.»

«Che fai, regredisci come tua sorella? Guarda che se devi uscire con Damiano non fare tardi che domani devi essere bella riposata.»

«Sì, sì... tranquilla.»

Dopo l'aceto, provò con il fondotinta consigliato da Clio Make Up e ritrovò istantaneamente la fiducia. Bastò spalmarlo con cura per far scomparire il succhiotto quasi del tutto. Sì, a guardare bene qualcosa si intravedeva, ma Damiano non era uno che osservava troppo i particolari. E se un'altra persona lo avesse notato, avrebbe pensato che fosse suo.

Tirò un sospiro di sollievo. Era salva. Era pura. Era di nuovo la brava ragazza che tutti conoscevano. Le salì di nuovo la rabbia pensando a Vito Photographer, e fu tentata di chiamarlo, ma temeva di peggiorare la situazione. Meglio non fidarsi di nessuno, nemmeno di Mariangela. Si truccò esagerando con il glitter, e tutti in casa lo accolsero come una prova generale in vista del grande giorno.

Solo Nancy espresse qualche perplessità e le disse che il gloss ormai era da smandruppate, ma era un momento di gelosia. La sua sorellona era più bella di lei, senza sforzi, e in fondo era anche più simpatica di quanto avesse creduto. L'aveva ascoltata, l'aveva abbracciata, e per lei erano entrambe grandi novità. Nancy, dietro il vittimismo, era una ragazza competitiva. Avrebbe potuto rubarle la scena solo interpretando in chiesa una straordinaria *Yes Jesus Loves Me*. Quella sarebbe stata la grande occasione. Lì la sua reputazione sarebbe cambiata. Perché un conto è cantare in coro la domenica, un altro è essere solista davanti a 287 persone che arrivano da tutta la Puglia, e pure dal Nord Italia.

Damiano, intanto, si era talmente cosparso di profumo che la sua macchina lasciava scie di Dolce & Gabbana Gentleman. Suo padre aveva provato di nuovo a chiedergli se era felice e lui gli aveva risposto: «Sì, sì, tutto a posto, papà», come se gli avesse chiesto se aveva fatto benzina. Aspettava Chiara di fronte al Begula, seduto sul cofano per farsi vedere, anche se col buio la macchina si notava di meno. Dopo un paio di minuti in cui nessuno se lo filava, la chiamò.

«Dove stai?»

«Sto uscendo, Damiano, tu dove stai?»

«Io sono già qua al solito posto che ti aspetto, amore.»

«Cinque minuti e arrivo.»

Era la terza volta in un giorno che la chiamava così. Fino ad allora, lo aveva fatto solo durante il sesso, cioè spessissimo, ma nella forma abbreviativa di "Amò". Ma a Chiara Damiano piaceva anche per quello: in certi momenti sembrava napoletano e sapeva alternare l'animale alla dolcezza, senza balbettare mai.

Quelle parole inconsuete, però, anziché insospettirla, l'avevano fatta sentire in difetto. Ma il suo fondotinta era impeccabile, il gloss avrebbe distratto l'attenzione sulla bocca e lei si sentiva al sicuro.

Lasciò la casa sugli scogli mentre erano tutti ancora a mangiare i dolci di Castelfranco. Salutò ognuno come una drag queen da discoteca, con il terrore che le rovinassero il trucco. Lo zio Modesto, per chiarirle che non era offeso, le prese la faccia tra le mani e le disse: «*Bellafatt!*».

Anche Nancy la salutò con entusiasmo. Tony le aveva appena scritto un sms che le aveva fatto scendere due lucciconi: "Scusa per oggi ma non potevo parlare. Poi ti spiego". E lei, dopo essersi consultata al telefono con Carmelina, dopo aver controllato l'ora di invio del messaggio, dopo aver realizzato che quando sei cotta sei costretta a credere a tutto, aveva deciso di fidarsi. Aveva cominciato a saltare, a sognare, a volare sul *Titanic* di Céline Dion: *"Near, far, wherever you are!"*. Ormai era interamente proiettata nella sua performance del giorno dopo, e sentiva che non l'avrebbe fermata più nessuno.

Quando Damiano vide arrivare Chiara, gli venne il batticuore. Le diede un bacio – ammazza che bocca – e salirono in macchina. E mentre lui ingranava la prima, lei abbassò il parasole per vedersi allo specchietto. Voleva controllare se il trucco reggeva. Ma la luce dello specchietto, oltre a illuminare il suo lavoro di restauro, le fece notare un capello.

Lungo.

Lunghissimo.

Riccio.

Moro.

Una traccia di Alessia dimenticata sul cruscotto. Una frase che ormai ti è scappata e non potrai più cancellare. Chiara si guardò intorno in cerca di altre prove, ma trovò solo un navigatore satellitare, un arbre magique e un cuoricino appeso che aveva regalato a Damiano per San Valentino. Riguardò il capello prendendolo in mano con aria schifata.

Non poteva essere di nessuno di loro due. «E questo?» disse. E lui ancora un po' usciva di strada.

22

Damiano guardava la striscia di mezzeria in cerca di una risposta, mentre Chiara teneva in mano il capello come se l'avesse trovato nella sua torta nuziale.

E in un certo senso era così. Il sospetto la investì e la fece tremare. Un'altra donna era salita su quella macchina, e lei lo scopriva a poche ore dal grande passo.

«Di chi è, Damiano? Di chi è sto capello?»

«Chiara, che c...»

«...»

«C...»

«...»

«C...»

«...»

«Cazzo ti gridi.»

«Prima rispondimi, così mi calmo.»

Ma Damiano non aveva ancora trovato la risposta. Di una cosa era certo: non poteva appartenere a lui. Il suo volto era illuminato dai fari delle macchine che incrociava, che cominciavano i loro giri notturni senza meta. Doveva venirgli in mente una soluzione.

Con la coda dell'occhio vedeva Chiara analizzare quel capello come se lavorasse da Cesare Ragazzi. Accelerò. Un gesto che gli diede il coraggio di una tequila bum bum. Nella disperazione, guardando fisso la strada, cominciò a parlare.

«Non so proprio di chi sia... oggi ho prestato la macchina a Orlando che la sua aveva dei problemi e non so dove se n'è andato. Sai che lui non parla tanto.»

«Ma la sua ragazza non arriva domattina?»

«Sì, ma magari si sono visti prima, sai che lui è tutto misterioso.»

Era talmente nel panico che riusciva a parlare senza nemmeno un tentennamento, e questo depose apparentemente a suo favore.

«Me lo giuri quello che mi stai dicendo?»

«Te lo giuro.»

«Me lo giuri su Dio?»

«Te lo giuro su Dio.»

Pensò che Dio lo avrebbe capito.

Chiara invece non gli credette, ma aveva paura della verità.

Qualcosa le diceva che quel capello assomigliava al succhiotto che lei teneva stampato sul collo. Ma anziché spaventarsi, si sentì sollevata. Erano pari. Damiano le allungò una mano sulla gamba per ritrovare complicità. Chiara si lasciò fare, e si abbandonò a un attimo di romanticismo. La radio passava Neffa e lei si sforzava di essere, per una volta, fatalista. Amare una persona significa accettare che possa avere un segreto. Per la prima volta si rese conto che forse non era solo innamorata dell'idea del matrimonio, ma anche di Damiano. Da quando era entrato nella sua vita non si era mai mosso da lì. Né alti né bassi. Un'andatura costante. Forse per questo lo dava per scontato. Quella sera, in una macchina che sfrecciava a 130 per la Valle d'Itria, si rese finalmente conto che i sentimenti muoiono nel momento in cui si danno per scontati.

«Quindi non mi devo preoccupare per questo capello?»

«Certo che non ti devi preoccupare. Ti devi preoccupare solo di essere bellissima, domani, come sei stasera... stai bene truccata così.»

Lei abbassò il finestrino e fece volare via quel che restava di Alessia. Quando vide l'insegna di Martina Franca, capì la meta di tanto peregrinare. La gelateria Minunno. Il luogo del loro primo appuntamento, a due passi da piazza XX Settembre, in quel centro che sembrava fatto apposta per perdersi e ritrovarsi. Era lì che Damiano aveva deciso di portarla.

Prima di scendere, si baciarono. Un bacio dato con calma, che equivaleva a un perdono reciproco. Un bacio che sembrava sancire un nuovo inizio.

«Ti amo tanto, sai?»

«*A lu giust?*»

«*A lu giust.*»

Ordinarono fragola e cioccolato. La stessa scelta per entrambi, come la prima volta, in un momento di dolcezza postadolescenziale.

Avevano entrambi le gambe molli, in un cedimento che era soprattutto mentale. Evitarono di discutere. Nessuno dei due, in realtà, amava farlo. Damiano aveva preso quell'abitudine dal padre, che chiudeva le questioni con uno sguardo. Chiara aveva imparato da sua madre a mantenere un certo aplomb, e questo l'aveva aiutata a non insistere mai per chiudere una trattativa. Detestava le commesse che continuavano a dire: «Guardi che la scarpa dopo un po' cede», e lei si ritrovava con i piedi delle sorellastre di Cenerentola.

Finirono la serata a ridere, imbrattati di gelato. Solo la paura di essere traditi – di essere scoperti – aveva riacceso una complicità che non pensavano di avere. E quella Bmw diventò, per la seconda volta in poche ore, una camera da letto.

Molto meglio con Chiara, però. La tensione aveva rimesso in circolo nuove endorfine che erano sfociate in un orgasmo più felice del solito. Malgrado gli spazi ridotti, si erano concessi varianti mai sperimentate senza paura di essere spiati. Non avevano nulla da nascondere, e questo li faceva stare bene. Durante le ultime carezze, lei si ricordò del succhiotto. Fece di tutto per tenergli lo sguardo inchiodato al suo, con tre domande che di colpo sembrarono fondamentali: «tuo fratello legge la seconda lettura o il salmo?»; «piaceranno a tutti gli gnocchetti tricolore?»; «le buste le teniamo in cassaforte in camera?».

E quando Damiano la zittì mettendole una mano sulla bocca, lei chiuse gli occhi per la paura e gli disse: «Forse è ora che andiamo». Lui girò la chiave, ingranò la marcia e la riportò a casa prima di mezzanotte.

23

Ninella era seduta sullo scalone davanti alla porta di casa, e fumava.

Stava facendo i conti con se stessa e con la giornata. Fumava quasi sempre fuori, perché non voleva che la vedessero le sue ragazze, soprattutto Nancy. Come fai a dire a tua figlia che fumare fa male mentre sente che puzzi di tabacco? Così consumava quel rito di nascosto, come se i diciassette anni li avesse lei.

Chiara guardò sua madre con gli occhi persi nel fumo, e vide chi era veramente: una sconosciuta. Lo sguardo lucido, le gambe appena divaricate, una mano a sorreggere il mento, i capelli troppo arancioni che le stavano bene lo stesso.

«Mamma...»

«Finalmente sei tornata... ti stavo aspettando. Siediti qui vicino a me.»

Chiara si lasciò cadere sullo scalone senza nessuna eleganza. Era distrutta.

«Mi spiace, sai, che te ne vai?»

«Ma vedrai che starai meglio, avrai più tempo per Nancy e più spazio per te... e poi non andremo a vivere lontano. Vieni una volta tu a mangiare le rolatine da noi e una volta veniamo noi a mangiare le rolatine da te...»

«Non sarà la stessa cosa.»

«Sì, ma vuoi mettere quando diventerai nonna come sarai contenta? Damiano vuole almeno tre figli... e il primo subito! Me l'ha detto stasera. Dice che dobbiamo cominciare dal viaggio di nozze.»

E Ninella, anziché sorriderle o ricomporsi, cominciò a piangere. Erano lacrime stanche che non provava neanche a togliersi di dosso. «Mi dispiace» le diceva, «mi dispiace.» E il passato le crollò addosso come un macigno.

Pensò a suo marito, di cui non si era mai interessata. Certi amori sono così grandi che basterebbero a sfamare due persone, se solo l'altro se ne accorgesse. E Ninella se n'era accorta quando lui era morto lasciandola sola con quelle creature. Ora che la più grande stava per lasciare casa, se ne andava un'altra parte di lei. Solo un angolo della sua coscienza sapeva che, in realtà, piangeva perché non era stata una buona madre. Aveva fatto ogni cosa nel modo giusto, era stata severa e presente, ma non aveva dato tutto. Una madre deve sempre dare tutto. E ora non riusciva nemmeno a scusarsi e chiedere pietà. «Mi dispiace» le diceva, e i suoi colpi di sole affondarono tristemente sulla spalla di Chiara, che cominciò a consolarla. Di colpo era lei la madre. Come se in quella vigilia si passassero le consegne.

«Sai che cosa mi fa rabbia? Che io lo sapevo che stavo sbagliando. Ma era più forte di me.»

«Ma in cosa hai sbagliato?»

«Dai, lo sai benissimo cosa intendo. Ti sembro una buona madre?»

«...»

«Vedi? Manco mi rispondi... e hai ragione. Sono stata una pessima madre. La mamma non può essere invidiosa perché la figlia si sposa.»

«Ma tu non eri invidiosa, tu eri contenta!»

«No, non lo ero. Ma per fortuna tu sei buona e non te ne sei accorta... perché tu hai preso da tuo padre. E anche tua sorella ha preso da tuo padre, altrimenti non sareste così.»

Ninella si fece coraggio e le confessò che, negli ultimi mesi, avrebbe voluto essere lei al suo posto. Per questo non l'aveva mai accompagnata a Brindisi a scegliere il vestito. Perché le sarebbe piaciuto vedere don Mimì, all'altare, non Damiano. Ma le mancò la forza di pronunciare parole che rimbombavano solo nella sua mente, e restarono ancora lì, soffocate.

Chiara era immobile, attonita, e provava a decifrare occhi che non aveva mai visto così. Anche la signora Labbate, che stava spiando la scena, ebbe il pudore di chiudere le finestre e smettere di osservare. Ninella capì che era l'ultimo giorno per provare a riscattarsi. Aveva una seconda chance, e davanti a sé vide solo la verità.

«Sai, quando ho scoperto di essere incinta di te, non ero mica contenta. Non ti volevo. Non ero innamorata di tuo padre, e con un figlio in pancia mi sembrava ancora più difficile mollarlo.»

«E allora perché l'hai sposato?»

«Perché avevo bisogno di essere amata. E lui *m'vegaiv assè*. Più di quanto meritassi. E poi volevo dimenticare un uomo che non mi aveva più voluto... e mi ha tirato scema in questi anni. Ma ho fatto tutto da sola, mi sono impuntata... hai presente com'è tua madre quando s'impunta?»

«Ho presente.»

«E quest'uomo lo conosco, vero?»

«Perché me lo chiedi?»

«Tu prima dimmi se lo conosco.»

«Quindi tu *u se' ci è...*»

«È mio suocero, certo. È don Mimì.»

Ninella riprese le sue lacrime con meno rabbia e più disperazione, annuendo col capo.

«Come hai fatto a capire che era lui?»

«Mi aveva detto Mariangela che girava questa cosa... ma io non ci ho fatto caso. Ne girano talmente tante... ma mamma, che problema c'è? Sei un essere umano.»

«No, ti sbagli, io sono una bestia. Perché quando tu mi dicevi che ti sposavi con Damiano io pensavo solo che avrei potuto rivedere Mimì. A me non m'importava di te, m'importava solo di me. *E capeit 'u fatt?*»

«Ma perché non me l'hai detto prima?»

«Non avrei mai voluto rovinarti la festa. Non te lo saresti meritato.»

«Allora lo vedi che sei una buona madre? Hai pensato prima al mio bene che alla tua coscienza. Ma non potevi farmi un regalo di nozze più bello di queste parole... mi spiace solo non averlo saputo prima, perché ti avrei potuto aiutare.»

«Non era il tuo compito.»

«Forse no, ma sarei stata meno arrabbiata con te. Se però posso darti un consiglio, mamma, non trascurare Nancy. Sembra grande ma è una ragazzina.»

«Hai ragione. Non posso aspettare che se ne vada di casa prima di parlarle. Sarei veramente vigliacca.»

Per un po' non dissero più nulla. Chiara le aveva preso le mani in un gesto finalmente naturale. Non giudicava e non diceva, stava semplicemente lì. Per la prima volta, sentì di essere stata accettata da sua madre e questo le diede gioia. Anche Ninella, dopo le lacrime, stava meglio. Perché non si era fidata? Avrebbe vissuto con meno angoscia i suoi turbamenti, ma non sarebbe stato giusto condividere prima quel segreto.

Con una mano teneva la sigaretta, con l'altra accennò una carezza che non aveva dato per venticinque anni. Fu un momento impacciato, ma sincero. Nel pieno della notte, il rumore del maestrale le aiutò a ritrovarsi. Erano bellissime. Erano vere. Ed erano, per un istante, felici. Unite da quel dolore represso che le aveva accompagnate come un ronzio nell'orecchio. Ora che era cessato, tutto sembrava più semplice.

«Quindi è per questo che quando ti ho detto che avevo conosciuto Damiano ancora un po' avevi un mancamento?»

«Sì, ero scioccata. Vent'anni a cercare di dimenticare un uomo e poi te lo ritrovi come suocero.»

«Sei ancora arrabbiata con lui?»

«No, figlia mia, no. Erano altri tempi. La sua famiglia era troppo importante. Non potevano accettare una come me, col fratello arrestato per contrabbando... o almeno, così mi dissero.»

«Quindi è per quello che è saltato tutto?»

«Sì, diciamo così... loro avevano un'immagine da rispettare e cacciando me si sono rifatti una reputazione. Un giorno ti racconterò meglio questa storia, quando ne avrò le forze e sarò più lucida.»

«Come vuoi tu, mamma.»

«Ma tanto domani pareggiamo i conti, stai tranquilla. Senza saperlo, mi hai fatto contenta due volte.»

Chiara non ebbe le forze per addentrarsi in altre domande, né in altre confidenze. Ormai sapeva che Ninella era fiera di lei, e sentiva già il peso di quella responsabilità. Si toccò il collo, a nascondere l'unico neo sul suo curriculum sentimentale. Nessuno avrebbe visto. Nessuno avrebbe saputo.

Il maestrale era sempre più incazzato ma a lei non importava più.

Alla vigilia del suo giorno più importante, aveva finalmente conosciuto sua madre.

SABATO

24

Il maestrale aveva improvvisamente interrotto la sua corsa, fermandosi nella notte.

Il cielo scintillava di azzurro e le campane suonavano a festa. Chiara non era solo stupenda, era felice. Entrò al braccio di zio Franco davanti a una chiesa affollata e commossa, ma silenziosa. C'erano proprio tutti, anche i parenti lontani, disposti alla perfezione da Mariangela, le calle intrecciate con eleganza. Nell'aria solo le note dell'organo che suonava la marcia nuziale.

Era lei la regina, e il suo splendore si rifletteva negli occhi di tutta Polignano. Pareva emozionata anche la First Lady.

Damiano la vedeva incedere e l'aspettava all'altare con gli occhi lucidi e fieri. Fissi, quasi. Concentrati su un punto impercettibile del collo, dove campeggiava ancora il segno evidente di quel succhiotto.

«E questo?» le bisbigliò indicando con l'indice la zona incriminata, lasciandola senza risposta.

Gli invitati delle prime file cominciarono a guardarsi sorpresi, ma tutti avevano ripetuto sotto voce quella parola così fastidiosa da pronunciare, perché "succhiotto" è una parola brutta anche nel suono. Lei non sapeva cosa dire, mentre la chiesa aveva interrotto il suo silenzio in un brusio pieno di condanna.

Panico. Sudore. Panico.

Per fortuna, Chiara si svegliò.

Il maestrale soffiava forte, non si era sposata, e nessuno l'aveva scoperta. Un sogno tremendo, come sanno esserlo gli incubi alla vigilia dei giorni importanti. Si alzò dal letto e corse a controllarsi: il segno c'era ancora, ma sembrava solo un lieve arrossamento. E dopo i contorsionismi con Damiano la sera prima, poteva anche essere stato lui.

Il suo vestito ancora appeso la guardava incoraggiante, e la nuova scollatura le era diventata familiare. Si scrutò allo specchio cercando nuove imperfezioni: non le era spuntato un herpes, né un brufolo post-adolescenziale, né un orzaiolo nell'occhio. Era perfetta, e tutto sarebbe andato bene. Tirò le tende, aprì la finestra e venne travolta dalla luce, dal vento e dal mare. Sembrava che stesse per alzarsi una tromba d'aria, ma non aveva più timore di nulla. Aveva finalmente ritrovato sua madre, e questo le aveva dato euforia. Aprì la porta e scese in cucina. Ninella era lì, che allestiva una tavola di dolci e biscotti, frutta, yogurt e spremuta.

«Buongiorno stella mia.»

Non l'aveva mai chiamata così. Chiara le sorrise, indicandole la finestra piena di preoccupazione.

«Ci sta ancora maestrale, lo so, ma tu sarai così bella che non se ne accorgerà nessuno.»

«Speriamo... se Pascal non è in forma, è la fine.»

Ninella finì di sistemare il plumcake su un piatto e andò ad abbracciarla. Non lo fece con naturalezza, e anche Chiara fu un po' rigida nel ricambiare. Sembravano due principianti dei sentimenti, subito pronte a cambiare discorso per togliersi dall'imbarazzo.

«Zia Dora si è arrabbiata tanto che zio non mi porta all'altare?»

«Sì, ma poco. Ha capito. Ne approfitterà per darti una busta più leggera.»

«Shhh... che ci sentono... non ti facevo così attaccata ai soldi, mamma!»

«Quando si sposeranno le tue amiche, capirai cosa voglio dire. Per alcuni un matrimonio è peggio di un mutuo...»

La verità si rivela sempre quando hai fretta. Mentre ascoltava sua madre, Chiara si rese conto di avere poche amiche. Se non fosse stato per Mariangela, si sarebbe sentita un po' sola. Anche perché i suoi parenti, non vedendola mai ricettiva agli inviti e alle feste, avevano finito per isolarla, frequentandola solo nelle occasioni ufficiali.

Subito dopo, però, vide gli zii piombare in cucina vestiti da Grand Hotel. Zia Dora aveva una vestaglia bordeaux stile vecchia zarina diseredata che aveva preso a Bassano del Grappa. Si era messa a discutere con zio Modesto, a letto, che l'aveva convinta a non serbare più rancore. E lei aveva pensato che bisognava ripartire dalla vestaglia.

Durante la colazione fece solo complimenti, sembrando anche un po' ridicola: cominciò a chiedere a Ninella con quali spezie aveva aromatizzato le marmellate, e poi era impazzita per il plumcake e quant'erano buoni i biscotti. Ebbe anche il coraggio di dire che i suoi colpi di sole sembravano meno arancioni ed erano semplicemente perfetti.

Sua cognata la guardava perplessa. Ora che ce l'aveva lì davanti, in quella versione stucchevole, capì che forse la preferiva nell'acidità originaria. Perché zia Dora era sbruffona, ma non cattiva. Quella mattina, poi, sembrava particolarmente affamata. L'unica che non aveva appetito era Chiara, con gli occhi persi chissà dove.

«E questo quando te l'ha fatto Damiano?»

La voce di sua madre la svegliò come una stoccata. Chiara si toccò il collo e chiamò a raccolta le sue forze per non andare nel pallone. La salvò Nancy in corner, che entrò in cucina saltando come una pazza.

«Cinquantuno! Cinquantuno! Cinquantuno!!!»

La bilancia le aveva dato il responso definitivo, e le aveva fatto anche un piccolo sconto. Era dimagrita di cinque chili dall'inizio di febbraio. Ormai il suo destino era segnato: Polignano non avrebbe più avuto una sola protagonista, ma due. Cominciò a canticchiare *The Greatest Love of All* e fece il giro della stanza per dare un buongiorno come si deve, inondando la cucina di crema corpo al sandalo, mentre già sognava Tony nudo con la fede al dito. Quell'ondata orientale distrasse temporaneamente Ninella dal succhiotto di Chiara. E, soprattutto, le ricordò di avere un'altra figlia. La fermò, mentre tirava fuori le tazzine dal mobile, e le disse che non avrebbe dovuto fare più niente: «Oggi le mie figlie devono solo pensare a essere belle, anche se non sarà difficile. Quindi vatti a sedere che poi ti devi mettere i tacchi e devi essere riposata».

Le appoggiò una mano sulla schiena e la spinse verso il tavolo. Negli anni a venire, Nancy non avrebbe più dimenticato di quando sua madre per la prima volta le disse che era bella. Era il giorno delle nozze di Chiara.

25

Anche Damiano si era svegliato di soprassalto.

Aveva sognato capelli dappertutto: sul cuscino, sulla camicia, dentro la pizza. L'incubo di Alessia lo aveva accompagnato fino all'alba, quando era convinto che lo stessero prendendo a sassate in piazza San Benedetto. Non molto diverso il sonno di suo fratello, nella stanza accanto, che prima di addormentarsi aveva ricevuto un messaggio dall'Innominato: "Grazie per i taralli e lo champagne... A presto". E lui aveva svegliato Daniela a Bari – l'unica che stava dormendo tranquillamente – per analizzare il testo in ogni dettaglio. I puntini di sospensione dopo "champagne" facevano ben sperare, ma il messaggio non chiudeva né con "buonanotte" né con una richiesta d'incontro, che sarebbe stato l'ideale. Daniela deliberò che si trattava comunque di un passo avanti, e i taralli erano stati un'idea vincente per rafforzare la loro alchimia. Non sapeva come le fosse venuto in mente "alchimia", ma fece grande presa nella testa di Orlando, che mise giù galvanizzato. Mentre scendeva in cucina, mutò rapidamente espressione davanti agli animaletti del corridoio Thun: la madre ne aveva cambiato la disposizione. Non sarebbero mai finiti su "Vogue Maison".

Trovò lo sposo seduto allo sgabello, che non sapeva mai regolare al punto giusto. Si sforzava di bere un caffè alla cannella che Matilde l'aveva obbligato ad assaggiare.

«Dai, che andrà benissimo... *evviva u zeit*!»

«Shhh... che si deve ancora sposare...»

Matilde intervenne nervosa. Lei che era sempre sembrata padrona della situazione, si sentì di colpo impreparata. Dubbi sulle calle in chiesa, sul tavolo del sindaco, sulle fattezze del suo tailleur. Sapeva di avere più potere rispetto a Ninella, ma le mancava il carisma.

Cercò di non pensarci. I due figli, per una volta, sembravano far parte della stessa famiglia, e questo le tolse un po' di tensione. Ridevano stupidamente alzando e abbassando gli sgabelli che avrebbero finito per rompere, ma non ce la fece a intervenire. Don Mimì non c'era. Si era alzato prestissimo e se n'era andato chissà dove. Lui non le diceva mai niente, e lei non chiedeva mai niente. Un rapporto di poche parole.

«Allora, sei pronto, *fret mou*?»

«Diciamo che uno non è mai pronto, Orlando. A che ora arriva Daniela?»

«Le ho detto verso le nove. Così se ha bisogno di un'aggiustata ai capelli c'è il parrucchiere di mamma.»

«Perché, non è già andata dal parrucchiere?»

Per quanto si fosse sforzata, Matilde non riuscì a starsene zitta.

«Ma lei arriva da Bari, ma'... co' sto vento... stai tranquilla che ci tiene assai.»

«Già mi piace mia cognata.»

«Dai, piantala. Poi dobbiamo metterci d'accordo per quando prendi le buste, che non facciamo una cosa cafona in sala.»

«Non ti preoccupare. Chiara ha trovato un bel cesto dove metterle, in modo che sia più elegante.»

Matilde non disse più nulla. Li lasciò parlare, mentre inzuppavano le Macine nel latte e le sembravano finalmente i ragazzi che avrebbe voluto avere. Come Ninella, anche lei non era mai stata una madre affettuosa. Mise sul tavolo qualche dolcetto alle mandorle e quello fu tutto ciò che riuscì a dire per farsi perdonare. Poi lesse ad alta voce la "scaletta" della mattinata: trucco e parrucco per lei; parrucchiere per i ragazzi; fotoreportage in casa durante i preparativi; rinfresco offerto ai parenti nella sala degli specchi (servito dalla signora delle pulizie); e alla fine, la chiesa.

A sentire quell'elenco, anche Damiano si rese conto di non essere pronto. Aveva delegato ogni cosa per mesi, senza mai opporre resistenza, ribellandosi solo al risotto agli asparagi. Ora si trovava a dover guidare una macchina molto complessa, di cui non sapeva quasi nulla, e che avrebbe potuto travolgere tutti.

Sentì la necessità di concentrarsi qualche minuto, così decise di scendere nella tavernetta valdostana. Le pareti in legno e il cervo impagliato lo facevano sentire a proprio agio.

Accese il televisore più grande della casa – 72 pollici – e provò a distrarsi, ma non riusciva né a stare seduto né a trovare un programma decente, neppure di cucina. Camminava su e giù per il salone grattandosi la testa, preoccupato che Alessia potesse farsi viva di nuovo. Poco dopo lo seguì Orlando. Non ci avrebbe mai pensato, fino a poche ore prima, ma stava cambiando tutto così in fretta che intravide in lui lo spazio per una confidenza. Stava ancora cercando le parole, quando l'altro lo precedette.

«Sai, fratello. Sono gay.»

Damiano udì lo sparo ed ebbe il terrore che tutto il paese l'avesse sentito. Per fortuna erano in tavernetta.

«...»

«Sono gay, e so benissimo che lo sai. Te lo dico perché sei mio fratello, e scusami se lo faccio in un giorno così importante per te, ma era la mia ultima occasione. Ci pensavo prima, a colazione...»

«...»

«... sembravamo due fratelli normali. Ma il fatto che tu mi voglia bene a me non basta. Tu devi volermi bene per come sono e devi sapere chi sono.»

Damiano non parlava. Guardava la tv cercando di controllare la propria faccia, mentre gli occhi iniziavano ad assumere un'espressione terrorizzata.

«Stai tranquillo, Damià. Non lo sa nessuno. E Daniela è il mio regalo per il tuo matrimonio.»

«Ma lei lo sa che tu sei...»

«Lei lo sa perché è lesbica. E oggi faremo finta di essere fidanzati. Non ti preoccupare, abbiamo fatto le prove. Rilassati... e smettila di cambiare canale...»

«E lei non si capisce che è...»

«No, non si vede che è lesbica. Non è che sono tutte con i capelli corti e senza trucco, non l'hai vista Jodie Foster? Ma dove vivi?»

«A Polignano.»

«È un modo di dire!»

Era tale lo shock, che Damiano si mise quasi a balbettare. Che il fratello fosse gay aveva sempre fatto finta di non vederlo, escludendolo per anni dalla sua vita. Non lo aveva mai invitato a uscire con lui e i cugini. Non lo aveva mai coinvolto. Non era mai andato a trovarlo a Bari. Non aveva mai insistito perché giocasse a calcetto. In paese non sarebbe stato un grande scandalo, ma lui preferiva non correre rischi.

Mentre suo fratello lo guardava senza dire una parola, Damiano capì che solo chi ti vuole bene porta una pseudo-fidanzata come regalo di nozze.

Lo sposo non sapeva più quali canali esplorare, e allora si fermò su una televendita di coltelli e gli venne uno strano attacco di riso a vedere la televendita doppiata. In quel gesto c'erano anni di malintesi e la consapevolezza che forse il tempo era scaduto.

«Fai bene a ridere, Damiano, perché io non sono triste. Sono felice, guardami... non te n'è mai fregato niente dei coltelli della Miracle Blade, su... ma sarò ancora più felice se tu mi accetti per come sono, anche se non lo diremo a nessuno. Mi accetti, Damiano? Mi accetti?»

Ma Damiano aveva spento la tv e non riusciva a rispondere.

26

La vide seduta in quarta fila al solito posto.

Aveva la testa reclinata all'indietro, come se stesse dormendo. Prima di farsi sistemare i colpi di sole, Ninella aveva sentito il bisogno di un momento di solitudine. Con San Vito aveva temporaneamente chiuso, visto che il vento non si era calmato, ma era il giorno della "gara" e doveva affrontarla al meglio.

Don Mimì aveva la faccia di chi ha vinto alla lotteria e non vuole dirlo a nessuno. Sentiva un peso sullo stomaco di cui aveva il bisogno di liberarsi, e solo Ninella avrebbe potuto aiutarlo. Aveva sbagliato molte cose. Era da un giorno che ne aveva consapevolezza, da quando Damiano aveva messo in luce la sua aridità di genitore. Non lo aveva educato all'amore, ma al compromesso. E se il compromesso a volte è inevitabile, non può essere sempre la prima scelta. Suo figlio non aveva mai provato a lottare, perché il padre non glielo aveva mai insegnato. Era stato tutto facile, o dovuto. Oppure era bastato pagare.

In quel momento don Mimì sentì la necessità di riprendersi il suo destino, facendo finalmente i conti con quella donna che aveva amato da lontano. Sperava sempre di incontrarla in chiesa, ma non indovinava mai l'orario. Molti in paese pensavano che avesse fatto un voto, invece era solo innamorato. Viveva in balia di quei saluti all'uscita della messa della domenica, in cui non riuscivano a dirsi molto. Anche se da quando i loro figli si erano fidanzati, le occasioni non erano mancate.

Ma le facce della First Lady smorzavano ogni volta qualsiasi approccio. La loro complicità si manifestava al momento della comunione. Ninella andava a farla per prima, Mimì sempre un po' dopo, e sempre dietro Matilde, in modo da incrociarla quando tornava al banco. E anche se Ninella non lo guardava direttamente, lui sentiva quegli occhi su di sé, e sperava che le arrivasse l'odore della sua colonia. Quel piccolo rito li rassicurava, rinnovando una promessa ingiustamente interrotta. Ci sono storie testardamente incapaci di finire, che ti torturano come un male. Quella di Mimì e Ninella era una di quelle: un duetto senza voce e senza futuro. Solo un ricordo, che come sempre amplifica tutto. Ora quel passato era di nuovo lì, in una chiesa che non li aveva uniti ma che avrebbe unito i loro figli.

Don Mimì si avvicinò lentamente e le appoggiò una mano sulla spalla. Erano anni che sognava di toccarla di nuovo.

«Che ci fai qui, Mimì?»

«Avevo bisogno di silenzio.»

«Anche a me piace questo silenzio... mi fa sentire viva. Tra un po' invece staremo in mezzo al delirio.»

«Come sta mia nuora?»

«Un po' nervosa ma è bellissima... mo' pare una star con tutti che le stanno intorno...»

«E tu come stai veramente?»

Si sedette accanto a lei senza chiedere il permesso, e Ninella si scansò. Era arrivato il giorno ed era bandita la paura.

«Cosa vuoi che ti dica? Che sto male? Che sono una donna sola? No, non te lo dico perché non è vero.»

«Io invece te lo dico: sto male e sono solo.»

«A me non interessa più.»

«Non è vero. Io ti conosco, Ninella.»

«È qui che ti sbagli: tu non mi conosci. Avresti potuto conoscermi, quello sì. Ma hai preferito la strada più facile.»

Era come se non si fossero mai lasciati.

«Non è proprio andata così.»

«A me non interessa se è andata in un altro modo. Capisci che non ha più senso parlarne?»

«Lo so, ma ho bisogno lo stesso di spiegarti.»

«Mimì, te ne devi andare... tra un po' arriva gente.»

«Tu prima dimmi che mi perdoni.»

«A cosa servirebbe? Ad alleggerirti la coscienza? Allora ti perdono. Ma solo perché hai accettato mio fratello per accompagnare Chiara all'altare. Per il resto, è una storia talmente vecchia che non me la ricordo nemmeno.»

Fu una pugnalata data con cattiveria. Ma nel giorno della resa dei conti, Ninella sentiva di non avere più paura di niente. Don Mimì accusò il colpo, e cercò un appiglio nei baffi. Era stato messo a terra e calpestato, ma se lo meritava. Ninella cominciava a mostrarsi insofferente, mentre lui avrebbe voluto parlarle ancora. Provò a sfiorarle la mano, ma lei la ritrasse, alzandosi in piedi.

«Devo andare, Mimì. Mi sono raccomandata con tutti e poi non posso fare tardi io.»

«Ma c'è ancora tempo...»

«Se ti devi solo sistemare i baffi, sì.»

«Eddai, cinque minuti.»

«Non posso. Tanto quello che dovevamo dirci ce lo siamo già detto.»

Lei fece un altro passo indietro e don Mimì provò a trattenerla. «*Stat' que*» le diceva, «*stat' que*». Ma Ninella ormai pensava solo al futuro di sua figlia. Lo fissò qualche istante senza emozione, aggrappata alla maschera che l'aveva accompagnata per anni.

Lo amava ancora, ma non poteva dirglielo, non poteva guardarlo più. Non voleva mettere in subbuglio la sua vita in un momento così delicato, col rischio che la signora Labbate entrasse e spargesse la voce. Uscì dalla chiesa così di fretta che si fece il segno della croce senza nemmeno voltarsi. Salutò Mimì con un ciao nell'aria, come un'attrice consumata che sa di avere gli occhi ancora addosso.

Lui la vide sparire ma sentì che Ninella non se n'era mai andata.

Restò immobile su quella panca a guardare l'altare, pensando che proprio da lì era cambiato tutto.

Aveva ancora gli occhi persi nel vuoto, quando sentì le porte spalancarsi. Di lì a poco, la chiesa si riempì di rumore, disordine e calle bianche.

Era arrivata la flower designer di Giovinazzo Bouquet che, senza troppi giri di parole, disse che la chiesa era «prenotata per un evento privato». Lui era troppo atterrito per mettersi a discutere. Guardò l'orologio. Si stava facendo tardi. Non gliene importava che Matilde lo stesse cercando, o che Cosimo stesse per annodare la cravatta a Damiano.

Per lui la festa era già finita.

27

Quando rientrò, Ninella non si sentì più la regina della casa.

In cucina regnava la confusione, messa su da un'équipe di professionisti. Mariangela sembrava l'assistente personale di Chiara. Le teneva la mano e la rassicurava con lo sguardo mentre lei era in balia di Pascal, il truccatore-parrucchiere-psicologo-wedding coach, che le stava rifinendo le labbra vicino alla finestra, perché lui con le spose usava solo la luce naturale. A ogni movimento del pennellino faceva una strana smorfia e a lei veniva da ridere. O forse cominciava a essere nervosa, e quindi ogni cosa le sembrava drammatica o comica, a seconda. Per Pascal invece tutto doveva essere preso tremendamente sul serio: «Sul trucco della sposa è vietato sba-glia-re: la gente guarderà prima la faccia, poi il vestito, quindi se toppiamo il make-up toppiamo il matrimonio!».

Così le aveva detto al primo incontro e lei, dietro quei toni apocalittici, aveva visto il Messia. Si era talmente fidata che non aveva nemmeno messo in discussione il prezzo del suo pacchetto sposa che includeva: depilazione completa; pulizia del viso; massaggio rilassante mani e piedi; prova trucco; due prove acconciatura; trucco e acconciatura definitivi. Quando aveva provato a obiettare che molte sposine conosciute su internet avevano fatto prima l'acconciatura del trucco, lui le aveva risposto: «Se hai scelto Pascal ti devi fidare di Pascal. Io preferisco lasciarmi sempre il tempo per rifare il trucco perché come arriva la madre... la sorella... l'amica del cuore... tu ti metti a piangere e il mio lavoro va a farsi benedire... *e capeit 'u fatt?*».

Nancy entrò in cucina vestita in "total pink" pensando che fosse già il suo turno. Scalpitava soprattutto pensando al trucco per il "Nancy Casarano Show" nella chiesa Matrice. Voleva gli occhi alla Amy Winehouse perché non si trattava solo di un matrimonio, ma di un'esibizione dal vivo. Era ancora troppo presto, però, così tornò ai suoi gargarismi con l'erisimo perché aveva l'impressione di avere un abbassamento di voce, e l'erisimo era proprio "l'erba del cantante".

Il vento non smetteva di picchiare sulle persiane, anche se ogni tanto a Chiara pareva di non sentirlo. Solo zia Dora glielo ribadiva, con una radiocronaca "ora cala ora sale" che non faceva mai capire per cosa tifasse. Visto che la sua vestaglia bordeaux gli faceva strane ombre, Pascal ordinò all'assistente di dare una sistemata alla signora, che iniziava a essere tardi.

Mariangela aveva iniziato a fare la spola con la chiesa per vedere a che punto erano le calle e gli addobbi, ed esagerava nel dire che sembrava già un sogno. "Il Gazzettino di Polignano" stava invece diffondendo la notizia che gli invitati sarebbero stati un po' stretti, dentro Masseria San Nicola, non potendo più usare il giardino per via del vento.

Ninella ormai sapeva che si poteva affidare solo al destino. Si era impegnata per dare il massimo e aveva la coscienza a posto. Certo aveva il cuore ancora in subbuglio, ma tutta quella confusione intorno a Chiara la rese orgogliosa.

Pascal la teneva sotto assedio, dicendole «girati di qua», «girati di là», e le infilzava i capelli di forcine. Ninella osservava sua figlia che la guardava in quel modo – sei felice? – e le s'inumidirono gli occhi. Anche le lacrime represse, prima o poi, ti fanno pagare il conto. Fu zia Dora che, fresca di cipria, le porse un fazzoletto per farlo notare a tutti. Ma era il giorno delle nozze, le lacrime fanno parte del menu.

Chiara la vide e provò a pensare a certe battute della Littizzetto, ma non bastò. Una lacrima le scivolò lenta e inesorabile sul viso, e venne fermata con un movimento quasi chirurgico di Pascal:

«Ascoltami bene: per me puoi piangere da mo' a stanotte... ininterrottamente... ma poi non mi venire a dire che nelle foto sei venuta *nu schif*». Il metodo terroristico era l'unico veramente infallibile con le spose. Solo se le terrorizzavi riuscivi a non farle piangere più per il resto della giornata. Un fondotinta che si scioglie in una valle di lacrime ti rovina la reputazione per anni.

Ora la povera Nancy era quasi disperata. Le sue corde vocali non erano messe benissimo. Doveva essere stato l'abbinamento vento-jogging a darle il colpo di grazia, anche se si trattava solo di un lieve abbassamento di voce. La cura migliore, lo sapeva, era il silenzio, per cui con Carmelina comunicava solo su whatsapp aggiornandola con foto di Chiara, di sua madre, di zia Dora. Ne aveva fatta di nascosto una anche a Pascal.

Vedere tutti avanti con i preparativi fece salire a Ninella un po' di nervosismo. Lasciò la sua cucina ormai satura del rumore del phon e si chiuse in camera.

Aprì l'armadio solo per essere certa che il suo abito fosse ancora lì, svolazzante di chiffon. Quando lo aveva disegnato – aveva preso spunto da una vecchia foto di Susan Sarandon – si era detta solo una parola: "Osa". E così si era lasciata andare a un rosso Valentino pieno di coraggio. Lasciò le ante aperte, si sedette sul letto e lo guardò da lì.

Non aveva avuto tempo di metabolizzare l'incontro con don Mimì, ma aveva deciso che ormai era un discorso chiuso. Le sue figlie erano più importanti del passato. Però un po' le dispiaceva averlo trattato così. Era stata troppo dura. Perché Ninella lo sapeva cosa significavano gli sguardi che gli lanciava ogni domenica. L'aveva illuso che lei ci fosse ancora, che ci sarebbe sempre stata.

Voleva parlargli per chiarire le sue parole, ma non c'era più modo. Avrebbe delegato tutto ai gesti, o alla fortuna di incontrarlo di nuovo da solo. In realtà, già le mancava.

Mentre appoggiava con grazia il vestito sul letto, le tornò in mente un fatto di tanti anni prima. Aprì l'ultimo cassetto del comodino e infilò la mano fino a toccare il fondo, frugando senza agitarsi, con la calma di chi si fida ancora della propria memoria. Trovò una piccola scatola, che riapriva solo nei giorni di sconforto. Ed eccola lì: una collanina di coralli, con la chiusura in oro. Il primo regalo di don Mimì.

Forse era un gioiello troppo estivo, forse non si abbinava bene a orecchini e bracciale, ma Ninella sentì di non avere scelta. Quella sarebbe stata la sua dichiarazione d'amore. Quella sarebbe stata la sua fede al dito.

Dalla cucina arrivò una risata che la fece scendere di corsa. Lo zio Modesto stava imitando la moglie quando parlava di Castelfranco Veneto e i suoi massaggi ayurvedici. E zia Dora, incredibilmente, si stava divertendo.

«Ma sono proprio così, Ninella?»

«A volte sei pure peggio, lasciatelo dire...»

Un momento di gelo fermò la stanza, a eccezione di Pascal, che andava avanti come un carro armato.

«... ma lo fai sempre per scherzare, lo sappiamo tutti...»

La cucina riprese fiato, e zia Dora lasciò cadere la questione. Anzi, fece finta di non essersela nemmeno presa.

«Ma quando ci farai finalmente vedere il tuo vestito, Ninella?»

«L'unico vestito che bisogna vedere è quello di Chiara.»

Ma dopo averlo detto, prese zia Dora per mano e la portò in camera. Fu il suo modo di chiederle scusa, e la cognata lo apprezzò dicendo «che meraviglia» ogni tre parole. E mentre le due mettevano da parte arco e frecce lasciandosi un po' andare, lo zio Franco bussò alla porta due ore prima del previsto.

Aveva addosso la tensione di un onore che non credeva di meritare e non sapeva gestire: come si accompagna una sposa all'altare? Si sorride? Qual è l'andatura giusta? Faceva tenerezza vestito com'era: un agente di commercio al suo primo colloquio di lavoro. Ma sprizzava gratitudine da tutti i pori, e aveva negli occhi la luce di chi non avrebbe mai pensato di meritare perdono. Sua sorella, infatti, non lo perdonò: quando gli vide addosso quel paio di scarpe vecchie, pensò che bisognava trovare una soluzione. Subito. Perfino Pascal spense il phon per esprimere il suo sconcerto.

28

«Come sarebbe che gli hai detto tutto?»

«Tutto. Gli ho detto tutto.»

«Di te?»

«Di me. E di noi, pure.»

«Cioè hai detto a Damiano che non sono la tua ragazza? E che sei gay?»

«Esattamente.»

«Tu *si pacc(ie)*. E come l'ha presa?»

«Bene. In fondo lo sapeva... ma non so se ha capito veramente... però stamattina per la prima volta l'ho sentito come un fratello.»

«...»

«Forse le cose si capiscono solo l'ultimo giorno, come quando conosci la gente in vacanza.»

Daniela era senza parole, ma luminosa. Fin troppo. Indossava un abito fluorescente. Una stola fucsia le copriva le spalle. Scarpe, borsa e gioielli sembravano un trionfo dell'età dell'oro. Voleva essere femminile, ma forse aveva esagerato. "Sembri Ru Paul" pensò Orlando, ma non glielo disse. Era andato a prenderla a Mola, in modo che avessero un po' di tempo per ripassare la parte lontano da occhi indiscreti. Dopo un arancino da Gegè, si sedettero sulla panchina a ripassare. Alla fine deliberarono che:

- si erano conosciuti al Trappeto di Monopoli, una sera che faceva un caldo infernale, e lui le aveva offerto un gin tonic;

- si erano persi di vista perché lui aveva segnato male il suo numero e per settimane aveva mandato i messaggi alla persona sbagliata;

- si erano ritrovati all'università all'esame di diritto privato e lì era scoccata definitivamente la scintilla;

- la loro canzone era *I will survive* di Gloria Gaynor;

- per sposarsi c'era tempo;

- per i figli c'era tempo, ma già avevano in mente il nome se nasceva una bambina: Rosa.

Sapevano che molti avrebbero fatto loro domande, e allora ripetevano le risposte ad alta voce come se dovessero partecipare a un processo. In un certo senso, era così.

Orlando era già perfetto nel suo tuxedo, anche se gli mancava ancora la rosa appuntata sulla giacca e aveva esagerato con *Terre d'Hermès*. A vederli da fuori, erano solo un po' appariscenti. "Come sono innamorati" pensò il barista mentre gli serviva due espressini, senza capire che Orlando lo stava puntando.

Per fortuna lo chiamò suo fratello, che voleva sapere a che punto era. In realtà, aveva bisogno di un'ulteriore conferma che Daniela fosse arrivata. Ma dopo la confessione in tavernetta, per Orlando tutto era diventato più semplice. Nel trambusto dei preparativi, non aveva neanche pensato all'Innominato. C'erano stati un paio di messaggi dopo quello di "taralli & champagne", più che sufficienti per sopravvivere almeno qualche ora. L'amore insicuro, però, è sempre un po' tossico e ha un continuo bisogno di conferme, e già sulla strada di casa era stato tentato di spiarlo su whatsapp.

Arrivarono a Polignano che sembrava la festa di San Vito, e lui un po' si emozionò. Era pur sempre il suo paese, e al paese dove sei nato, anche se ci litighi, gli vorrai sempre un po' bene. Nelle strade c'era un viavai di gente indaffarata, alcuni già pronti a pavoneggiarsi, altri a spiare chi c'è e chi non c'è, e i soliti tedeschi sbracciati.

Il maestrale muoveva la stola di Daniela senza fare complimenti.

Orlando la prese per mano e le fece l'occhiolino, anche se gli sembrava Nefertari in visita nella Valle del Tigri.

Casa Scagliusi era più Petruzzelli che mai: un tappeto rosso copriva il marciapiede e ovunque era un trionfo di fiori, decori e rumori. Quel giorno disattivarono pure il codice dell'ascensore, che poteva così essere usato da tutti senza difficoltà. Daniela si sentiva un po' agitata, e quando prima di entrare chiese a Orlando: «Come sto?», lui la spinse in ascensore dicendo: «Benissimo, direi».

Mentre i primi brindisi cominciavano a tintinnare nel salone degli specchi, Damiano stava rigido nel suo completo, un po' defilato per essere lo sposo, e diceva a tutti «grazie assai». Parlava più in fretta del solito in modo da evitare la balbuzie.

Don Mimì era clamorosamente in ritardo. Quando era arrivato, senza dare spiegazioni, era salito di sopra e si era buttato di nuovo sotto la doccia. Voleva dimenticare come l'aveva trattato Ninella. Gli era venuto anche un nodo in gola, per il nervoso. Si sentiva stupido e inadeguato. Un fallito di cinquantaquattro anni che doveva provare a reagire. Per questo si prese cura di sé e dei suoi baffi come se dovesse partecipare all'incontro più importante della sua vita.

Nel salone degli specchi, anche la First Lady era in crisi. Del suo vestito non si fidava più. Un tailleur grigio di ottima fattura, ma senza fantasia, pronto per essere esposto con lei al museo delle cere. L'aveva comprato da sola, in un negozio di abiti da cerimonia, consegnandosi nelle mani della commessa. L'orologio d'oro bianco non bastava a valorizzare quella scelta. L'unica certezza che aveva, mentre dirigeva la signora delle pulizie, era il buffet per amici e parenti. Un trionfo di prodotti locali. Dopo settimane di dubbi in cui non si era consultata con nessuno, aveva deciso di evitare caviale e salmone per non sembrare cafona. A un certo punto venne distratta da una macchia verde che camminava sui trampoli, e realizzò che Orlando era arrivato.

«Mamma, lei è Daniela.»

«Daniela, non ci credo che sei venuta veramente... ti devi ancora cambiare?»

«No, veramente no...»

«Ah, meno male. Stai benissimo. Ci hai fatto proprio una bella sorpresa.»

«È Orlando che mi ha fatto una sorpresa a invitarmi in questo giorno così importante per voi.»

Matilde provò a controllare la propria espressione, ma le scappò un'occhiataccia a suo figlio. Meglio solo che con una ragazza così conciata, con un abito troppo vistoso e gioielli troppo grandi. Si rese conto che al momento non poteva fare nulla, per cui si limitò a emettere parole di circostanza pensando a come farsi venire un'idea. Si destreggiò tra i nuovi parenti che l'ascensore scaricava a ritmo costante. Dopo essersi un po' sfogata con una delle sue sorelle, si rese conto che anche lo sposo era sparito. Così salì al piano di sopra per capire cosa stesse succedendo. Quando entrò in camera, trovò don Mimì e Damiano seduti sul suo letto matrimoniale, uno accanto all'altro. Erano eleganti come non li aveva mai visti: Damiano in abito nero rigato con cravatta champagne, i ricci maneggiati dal parrucchiere; don Mimì in gessato, con i capelli di brillantina e i baffi appena rifiniti.

«Me lo prometti?» riuscì solo a sentire. «Me lo prometti?» gli diceva, mentre lo sposo faceva di sì col capo. Quando la videro, s'irrigidirono un po'.

«È arrivata Daniela, la ragazza di Orlando» disse per giustificarsi e autoconvincersi. E i due, ancora distratti da quel segreto, si alzarono in fretta, quasi sentissero il bisogno di cambiare discorso. «È un po' vistosa» disse lungo le scale, e a Damiano sembrò una buona notizia.

Quando la vide, però, ebbe più di una perplessità: sembrava veramente una battona, anche se elegante, e poi si muoveva come se non avesse mai messo i tacchi. Guardò suo fratello e gli sorrise. A lui non sarebbe mai venuta in mente un'idea simile e Daniela, per quanto un po' assurda, era una fidanzata credibile. Fece un cenno a sua madre per dirle di lasciare perdere, mentre don Mimì era galvanizzato dalla futura nuora, che presentava a zii e cugini come "la ragazza di Orlando".

Quello che storceva più il naso era Cosimo, troppo scafato per non intuire qualche stranezza, soprattutto la storia che avevano già in mente il nome se nasceva una bambina. Damiano aveva preferito non confidargli nulla, come se non volesse ammettere neanche a se stesso la verità sul fratello. Ma capì che doveva buttarsi nella recita. Si avvicinò a lei, le diede due baci, e si convinse che quella sarebbe stata la sua futura cognata: «Lo sapevo che Orlando aveva gusti raffinati» le disse strizzandole l'occhio, che i parenti intesero come un rimprovero per l'abbigliamento. Per fortuna erano quasi totalmente in balia delle leccornie locali.

Vedere i vassoi svuotarsi tranquillizzò Matilde, che ci teneva più di tutti che quella giornata andasse bene. Si rilassò solo quando notò Damiano finalmente a proprio agio nelle vesti di protagonista. L'arrivo di Daniela gli aveva dato una certa carica. «Dai, facciamoci una foto tutti e tre» le disse tirando fuori il telefonino. Ci misero un po' per trovarne una in cui fossero venuti bene. Ma osservando l'immagine posticcia delle loro tre teste vicine, lo sposo si rese conto che ne avrebbe voluta una solo con suo fratello.

29

Dopo un'ora di anarchia totale, la casa sembrava tornata nelle mani di Ninella.

Era lei, come al solito, a dettare l'umore generale. Pascal l'aveva truccata prima e cotonata poi, senza commentare i colpi di sole di Lucia Coiffeur. Le aveva solo ripetuto di non rovinare tutto mettendosi le mani in testa e lei l'aveva guardato un po' perplessa. Erano anni che non si vedeva così bella ma non riusciva a dire più di "grazie".

Aveva deciso di vivere gli ultimi momenti di attesa in sobrietà, senza smancerie. Il suo abito rosso strideva con quella scelta, e in fondo raccontava di sé molto più di quanto credesse. Ninella era ancora incazzata col mondo per potersi permettere debolezze, per cui preferiva non cedere all'entusiasmo. Le nozze di Chiara con Damiano erano la sua rivincita, e la rivincita va giocata senza sbagliare, e senza emozione. Altrimenti il fallimento è doppio.

Il momento di panico provocato dalle scarpe di suo fratello era stato risolto con un colpo di genio e di umiltà. Se fossero andati in un qualsiasi negozio di Polignano, si sarebbe subito sparsa la voce che Franco non aveva nemmeno scarpe decenti. Così Ninella aveva messo da parte l'orgoglio e bussato alla porta della signora Labbate: suo figlio lavorava da Mondo mocassino a Monopoli e avrebbe potuto darle una mano. Sapeva che era rischioso confidarsi con una del "Gazzettino", ma non aveva alternative. La signora Labbate si era sentita così gratificata di quella confidenza, che si era attaccata al telefono per chiedere a suo figlio di aiutarla: «Quarantatré, nere, da cerimonia, mi servono mo'». Ninella l'aveva guardata incredula, pensando che la vita non le era poi così ostile.

Dopo mezz'ora era arrivato Mario Labbate con sei scatole di scarpe di diversa foggia e misura. In casa di Ninella si era subito accesa una discussione in cui parlavano tutti contemporaneamente tranne zio Franco. Le più accaldate erano zia Dora e Nancy, che volevano quelle con la fibbietta. Mariangela provò a dire che quelle all'inglese non erano male. Alla fine decise Pascal: «Le più sobrie, è ovvio. O volete che la gente, anziché lo strascico di Chiara, si metta a discutere della fibbia dello zio?». E la questione venne chiusa.

Ninella era ancora colpita dal gesto della signora Labbate. Si era pentita di non averla invitata alle nozze, ma ormai era tardi. Avrebbe trovato il modo di sdebitarsi e di farsi perdonare.

Zio Franco camminava su e giù per la cucina con le sue scarpe nuove e si sentiva più insicuro che mai, mentre zia Dora scuoteva la testa pensando che erano meglio quelle con la fibbietta. A un certo punto Ninella lo portò in camera di Chiara, bella e in ritardo come tutte le spose felici. E lì, di fronte a lei, gli fece provare l'entrata a braccetto con sua figlia. «La camminata deve essere lenta, ma non troppo lenta» diceva Ninella come se avesse sempre diretto attori. «E basta con questa faccia da cane bastonato! Schiena dritta e *camin*, Franco! O ti fanno male le scarpe?»

Nancy fece capolino dicendo che era arrivato Vito Photographer. Chiara non aveva ancora indossato il vestito, per cui in stanza vennero subito convocati Pascal e Mariangela. Lui avrebbe voluto fare tutto da solo, perché quello è il momento in cui la madre e la testimone insieme possono creare il disastro: far piangere la ragazza. Ma Chiara sembrava aver imparato la lezione. *No more tears* era il suo motto.

Pascal le tenne a bada i capelli, aiutandosi con uno spray che impugnava come se fosse un'arma contundente. Mariangela e Ninella, visibilmente emozionate, l'aiutarono a infilarsi il vestito. Chiara era la principessa Sissi. Ninella invece si sentiva Rossella O' Hara quando cade in disgrazia e si fa il vestito con le tende. Bello, bellissimo, ma se lo guardi bene lo vedi che è una tenda. Più si avvicinava l'ora, più aumentavano i dubbi sul suo abito.

Nancy tornò chiedendo se il fotografo poteva entrare e, quando vide sua sorella vestita, disse solo: «Cazzo, Chiara, sei super top» e tutti si misero a ridere. In realtà Nancy era tesa per l'esibizione, ma un sms di Tony – cui aveva confidato il suo momento di protagonismo – l'aveva un po' tranquillizzata. "Forse passo" le aveva scritto, ma non voleva illudersi.

Ninella invitò Vito a salire, mentre Chiara, in tutto il suo splendore, lo salutò come se nulla fosse. Era teleguidata da Pascal: «Degli errori di oggi te ne pentirai tutti i giorni in cui vedrai l'album» era stato l'anatema finale, e lei aveva deciso di mettere da parte ogni sentimento. A turno, nella tipica processione di quei giorni sempre uguali, Vito chiamò all'appello Ninella, Nancy, Mariangela e zio Franco, per fare i primi scatti con la sposa. «Così ci scaldiamo tutti un po'» disse, e Pascal lo guardò con disprezzo.

Poi chiese di restare solo con Chiara per fare qualche ritratto senza gente intorno. Aveva bisogno di parlare, di chiarirsi, di scusarsi, e quello era l'unico momento in cui potevano stare soli.

«Sei proprio bella, sai?»

«Lo dirai a tutte le spose, immagino.»

«Ma che dici?»

«Ieri mi hai lasciato un segno sul collo che ancora un po' mi rovini.»

«Proprio io?»

«Io non sono stata di sicuro.»

«Hai messo l'aceto?»

«Ma che aceto e aceto... ora non si vede, Pascal mi ha truccato bene... ma comunque c'è.»

«Non so cosa mi è preso... scusa.»

«*Vabbù*, lasciamo perdere, che è meglio... e c'è tanta gente di là. Le vuoi fare o non me le vuoi fare queste foto?»

Vito colse quelle parole come una doccia gelata, ma reagì bene. Come tutti i seduttori, gli interessavano solo vittorie estemporanee. Il telefono di Ninella, intanto, iniziò a suonare. Numero privato.

«Pronto?»
«Dove stai?»
«Come dove stai? Chi sei?»
E mentre lo diceva, realizzò.
«Come fai ad avere il mio numero?»
«Tra cinque minuti arriviamo in chiesa, quindi tra un po' potete partire. Com'è mia nuora?»
«È bella *assè*, Mimì, è bella *assè*.»
Era talmente spiazzata che non riuscì nemmeno a scoprire come avesse ottenuto il suo numero di telefono. In fondo, non le interessava. Voleva fare pace, e anche don Mimì l'aveva capito dal tono. Parlarono dei loro figli solo per stare ancora un po' insieme.
«E voi, tutto a posto? Come sta Damiano?»
«Damiano *ste bun*, anche se mo' è un po' agitato. E poi devi vedere Orlando con la ragazza Daniela. Sarà una bella festa, Ninella, ci divertiremo.»
«*Speriem*, Mimì.»
«Sarai elegantissima...»
«Ma, insomma... ci ho provato, ma non sono più convinta.»
«Allora non ho dubbi.»
«Se lo dici tu...»
«Scusami, per prima in chiesa.»
«No, Mimì... non hai fatto niente di male. È normale...»
«È normale cosa?»
«È normale essere strani oggi. Ma tra un po' comincia la festa e dobbiamo preoccuparci solo di quella.»
Riattaccò e decise di non pensarci, ma lo specchio le restituì la sua collana di coralli e a lei si riaccese la speranza.
«È quasi il momento» disse entrando nella camera di Chiara, affollata come una discoteca. Erano tutti in balia del bouquet semicascante che la flower designer aveva consegnato con un biglietto della suocera: "Auguri per un matrimonio felice" le aveva scritto. E a Chiara, per un attimo, erano venuti i brividi.
«Non è un po' troppo azzardato questo trucco per cantare in

chiesa?» provò a obiettare Ninella vedendo gli occhi di Nancy. «Lo ripeto: se avete scelto Pascal dovete fidarvi di Pascal. Mai tarpare le ali di una ragazza che deve cantare al matrimonio della sorella» ribatté lui piccato. Nancy già lo amava, sua madre un po' meno. «Tra poco dobbiamo andare che loro sono già là, hanno telefonato» disse per chiudere la questione.

Tutte le donne sentirono la necessità di riguardarsi allo specchio.

Tutti gli uomini sentirono il bisogno di andare in bagno.

Vito cercò di rubare qualche scatto per l'effetto reportage che tanto aveva pubblicizzato. Chiara restò un attimo con sua sorella che era decisamente agitata. Passò gli ultimi minuti a tranquillizzarla.

«Senti a me: *Yes Jesus Loves Me* la conosci benissimo. Quante volte l'hai già cantata?»

«Mai davanti a una platea.»

«Ma non è una platea, sono i nostri invitati!»

«Io non li conosco tutti.»

«Ma allora come mi dovrei sentire io, che sono la sposa?»

«Tu sei bellissima, Chiara. Tu e la mamma siete le più belle.»

«E dove la mettiamo la mia sorella magra?»

«Magra??? Quindi ti sei accorta che mi sono *fatt mazz*?»

«Certo, che me ne sono accorta... e soffrivo con te a vedere tutte quelle verdure bollite. Facevo finta di niente solo per farti raggiungere il tuo obiettivo...»

Nancy non capì più niente e si sentì mancare dalla contentezza. Quelle ottave non sarebbero state più un problema. Presa dalla foga, le diede un bacio che ancora un po' metteva a rischio il trucco, ma Pascal non se ne accorse.

Ninella sollecitò tutti ad avviarsi verso la chiesa, trattenendo con sé solo suo fratello, Nancy e Chiara. Vito Photographer guardava la sposa attraverso l'obiettivo e non riusciva più a scattare.

30

Appena uscì di casa, Chiara non ebbe più paura e si sentì di colpo in un luogo amico.

Salutò con la mano la signora Labbate, che l'aspettava commossa alla finestra. Anche Ninella le fece un cenno sentendosi un po' in imbarazzo, ma si aggrappò a zia Dora che le offrì volentieri il braccio. Il maestrale c'era ancora, ma non lo sentiva più.

Chiara si teneva a zio Franco, i passi felici, mentre Nancy la precedeva per cercare di scorgere Carmelina, che le stava venendo incontro. Davanti alla chiesa non c'era più nessuno: Mariangela, su ordine di Pascal, aveva obbligato tutti a entrare, perché la sposa non può fare il suo ingresso e trovare la chiesa mezza vuota.

Ninella strinse le mani di sua figlia e le disse solo: «Non ci pensare e vai». Poi fece la sua passerella con zio Modesto e zia Dora, tenendo Nancy per mano. L'abito rosso alla Susan Sarandon mise a tacere ogni brusio e fu un colpo al cuore per Matilde.

Varcato il portone al fianco della sposa, zio Franco iniziò improvvisamente a tremare, ma si sforzò di resistere. Non arrivarono pietre né insulti. Solo silenzio e le note dell'organo, che nella sua testa assomigliavano al perdono. Lui lo accolse a schiena dritta, con coraggio e riconoscenza, mentre cercava di non dimenticare i suggerimenti di Ninella.

Accanto a lui Chiara entrò sospinta, più che dal vento, dalla leggerezza. Ebbe solo il tempo di vedere le composizioni di calle, e quello fu il momento di maggiore lucidità. Le sfuggivano le gomitate al suo passaggio, nell'incedere lento e sicuro di fronte al clan degli Scagliusi che l'aveva sempre messa in soggezione. Era la protagonista, e nulla al mondo le avrebbe tolto il piacere di quel tappeto rosso, che lei e lo zio percorrevano con un'eleganza composta, mentre Ninella li ammirava sapendo di essere osservata da tutti.

Si sistemò solo un attimo la collana, per essere sicura di averla ancora. Nancy, accanto a lei, scintillava di rosa ma era in preda all'emozione. Immaginare la camera della sorella vuota le aveva aperto una voragine sotto i piedi. Negli ultimi mesi aveva sognato di usarla come palestra con pesi e cyclette, o magari come stanza degli ospiti per le sue amiche. Ora non le interessava più. A vederla risplendere con quella grazia che lei non aveva, capì quanto sua sorella fosse importante. E di colpo si dimenticò anche degli occhi alla Amy Winehouse, che Pascal si sforzava di placare a distanza – non rovinare tutto, ti prego! Cercò conforto guardando sua madre che guardava la sposa che guardava sua madre. A un certo punto sentì la mano di Ninella che la sfiorava, e gliela strinse così forte che le parve di ricevere un abbraccio. Sarebbero state mano nella mano per tutta la cerimonia.

Anche lo sposo aveva gli occhi lucidi, sebbene suo cugino Cosimo cercasse in tutti i modi di farlo ridere. Orlando piangeva senza ritegno e Daniela provava goffamente a imitarlo, ma era più preoccupata per la mise fluorescente. Matilde cercava di capire se il vestito di Ninella fosse bellissimo o volgarissimo, ma non aveva possibilità di discuterne con nessuno. Don Mimì era il più sofferente di tutti. Avrebbe voluto piangere, ma non poteva. Allora si pizzicava la gamba con violenza, quasi a farsi male, guardando quella sposa vestita di bianco immaginandola vestita di rosso.

Tutto il paese che conosceva la loro storia, ed erano tanti, non vedeva l'ora di catturare uno sguardo tra i due. Ma loro non diedero soddisfazione a nessuno, in un codice non scritto che solo gli amanti clandestini sanno decifrare. I due sposi ormai lo sapevano ufficialmente, orgogliosi di quell'inatteso regalo che avevano appena ricevuto: la verità. Ninella l'aveva detta a Chiara sullo scalone di casa; don Mimì aveva parlato a Damiano sul letto di camera sua.

Ci sono storie che hanno bisogno di buio e silenzio. Solo dopo tanto tempo, come alcuni vini, potranno essere raccontate. Quel segreto aveva reso Chiara e Damiano più forti e meno timorosi. Forse anche più innamorati. Anche per questo a lui s'incrinò la voce in una delle recite che non stanca mai di commuovere, neanche dopo tante repliche.

«Io, Damiano, accolgo te, Chiara, come mia sposa. E prometto di esserti fedele sempre, nella gioia e nel d...»

«...»

«D...»

«...»

«D...»

«...»

«... dolore, nella salute e nella malattia, e di amarti e onorarti tutti i giorni della mia vita.»

Don Mimì guardò suo figlio e gli sorrise. Per la prima volta, non gliene importò niente della balbuzie. Poi lanciò un'occhiata a Ninella, che non ricambiò.

«Io, Chiara, accolgo te, Damiano, come mio sposo. E prometto di esserti fedele sempre, nella gioia e nel dolore, nella salute e nella malattia, e di amarti e onorarti tutti i giorni della mia vita.»

Ninella, dopo aver fatto un cenno a sua figlia, lanciò un'occhiata a don Mimì, che la ignorò.

In teoria, era un matrimonio tra due persone.

In pratica, era come se si fossero sposati tutti e quattro. Genitori e figli.

Mancavano solo le fedi, che i due ragazzi si scambiarono con un pizzico d'impaccio, suscitando le solite risatine che tanto piacciono al pubblico un po' annoiato delle chiese. Fu durante l'applauso che tutti si sciolsero, dimenticandosi le maschere. Pascal guardò Chiara e le fece un segno d'incoraggiamento: aveva letto senza sbagliare, non aveva pianto, non aveva mosso troppo la testa. Regale, come gli aveva consigliato lui: «Pensa sempre a Kate Middleton».

Vito Photographer si muoveva come una gazzella alla ricerca della foto perfetta, perché ai matrimoni non si replica: se perdi la magia del momento, non la recuperi più. Ninella staccò la sua mano da quella di Nancy e l'incoraggiò con un buffetto sulla schiena. Il forfait di una soprano le aveva dato un'occasione, e lei era pronta a sfruttarla per spalancare le porte del successo.

Arrivò all'organo cercando di ancheggiare il più possibile, per esporre meglio il lato B. La matita sugli occhi reggeva ancora, la voce sembrava esserle tornata, il vestito rendeva onore ai suoi sforzi. Il rosa era il colore dell'anno. Quando si voltò le tremavano le gambe, ma appena vide la chiesa gremita, sua sorella vestita da sposa, la mamma scintillante di rosso, capì che quello era il momento. Nella sua mente, il presentatore gridava al microfono: "Viene da un piccolo paese della Puglia... ma ha conquistato l'America... con il suo disco d'esordio ha scalato tutte le classifiche... ha venduto venti milioni di dischi nel mondo... Aretha Franklin l'ha definita la sua unica erede... ecco a voi la nuova regina dell'R&B... la Whitney Houston del Tavoliere... ladies and gentlemen... Nancy Casarano!".

La calma s'impossessò finalmente di lei, segno che era una vera star: agitatissima prima, perfetta quando è il momento di cantare. Cominciò mettendoci tecnica e cuore miracolosamente equilibrati, senza strafare con i virtuosismi. Stava soprattutto attenta a trattenere la pancia, in modo che fosse perfetta anche dal punto di vista estetico.

Purtroppo la vanità prese il sopravvento sull'esecuzione e proprio sul più bello la nuova regina dell'R&B si scordò le parole. Tutte. Il vuoto totale. Non aveva voluto il leggio perché era da dilettanti. «Semmai il gobbo elettronico» aveva detto a padre Gianni, che l'aveva guardata con una faccia interrogativa. Stette zitta per un po', mentre l'organista la incoraggiava annuendo col capo.

A un certo punto le venne in mente il titolo: *Yes Jesus Loves Me*. E lo ripeté come una litania fino alla fine. A Daniela e Orlando, a un certo punto, venne un attacco di riso e tutti li giudicarono male.

Più che tornare al posto, Nancy avrebbe voluto volare in cielo, magari sulle note di *Angels*. Ma solo all'idea di come avrebbe reagito Pascal, tornò a sedersi a testa alta sculettando molto meno. "Nancy Casarano, per te 'X Factor' finisce qui."

Quando ebbe il coraggio di guardarsi intorno, vide finalmente Tony, il suo Tony, in piedi dall'altra parte della navata, che le stava facendo ok con il dito. Era passato a cercarla, l'aveva sentita e silenziosamente l'aveva applaudita. Nancy non ci poteva credere. Neanche nei film succedono cose del genere. Quello infatti non era un film: era l'amore. Per la seconda volta in pochi minuti, sarebbe voluta volare in cielo. Cadde in catalessi fino al termine della cerimonia, attaccata alla mano di sua madre che le aveva solo detto «Sei stata bravissima», e lei un po' ci aveva creduto. Si risvegliò quando zio Franco, sicuro nelle sue nuove scarpe, prese il microfono e lesse: «Per mia nipote Chiara e per Damiano, perché non abbiano mai paura di guardarsi negli occhi e per tutti voi, che è bello ritrovare qui. Preghiamo».

Poi arrivò il momento che gli sposi temevano sul serio, perché c'era il rischio che padre Gianni si addormentasse: l'invocazione ai santi. Santi scelti dopo lunghe ricerche, perché erano santi legati al matrimonio e passati al vaglio della First Lady. E anche se era una raffinatezza che pochi potevano cogliere, Chiara ci teneva che nulla fosse lasciato al caso. L'unico elemento che catturava l'attenzione era indovinare se bisognasse rispondere singolare o plurale. "Prega per noi" o "pregate per noi"? Ma le risposte assunsero più il tono da rosario che da matrimonio.

«Santa Maria, Madre di Dio;»
«Santa Maria, madre della Chiesa;»
«Santa Maria, regina della famiglia;»
«Santa Maria del Carmelo;»
«San Giuseppe, sposo di Maria;»
«Santi Angeli di Dio;»
«Santi Damiano e Anna;»
«Santi Zaccaria ed Elisabetta;»
«Santi Apostoli ed Evangelisti;»

«Santi Aquila e Priscilla;»
«Santi Pietro e Paolo;»
«Santa Monica;»
«San Paolino;»
«Santa Brigida;»
«Santa Rita;»
«Santa Francesca Romana;»
«San Tommaso Moro;»
«Santa Giovanna Beretta Molla;»
«Santa Caterina da Siena;»
«San Damiano;»
«Santa Chiara;»
«Santi e Sante tutte di Dio. Pregate per noi.»

Alla fine, ci fu una sola vittima, e non era padre Gianni. Al nome di Santa Francesca Romana, zio Modesto cadde addormentato sotto gli occhi pesti di sua moglie. Era ancora troppo stanco del viaggio da Castelfranco Veneto.

31

Piazza dell'Orologio non era mai stata così gremita.

Non c'era neanche una macchina, e alle finestre di fronte alla chiesa era stato appeso uno striscione con i nomi degli sposi e un cuore. Nessuno li conosceva bene, ma tutti erano lì ad applaudirli. Oltre al riso, vennero lanciati petali di rosa che la flower designer aveva distribuito a sorpresa tra gli invitati: un piccolo omaggio di Giovinazzo Bouquet. Chiara era frastornata e incredula, e si sentiva una star. Dopo che si era liberata dall'odissea delle firme, Pascal le aveva ritoccato il viso con una spugnetta e a lei era sembrato di essere in televisione. Prima di lasciarla andare al suo bagno di gloria, le aveva detto: «Anche se il riso in faccia ti farà male, tu soffri e sorridi, ok? Pensa solo alle foto!».

La prima che venne a salutarla fu zia Dora, che l'abbracciò come se l'avessero liberata da un sequestro: «La più bella, sei, la più bella» le ripeté lasciandole un po' di rossetto sulla guancia. Neanche a luglio per il Festival del Libro Possibile si era raccolta tanta gente. Tutti volevano vedere e farsi vedere, e anche chi non era invitato era vestito come se lo fosse, creando non poca confusione per riconoscere i grandi esclusi.

Con un atto inconsueto che sorprese un po' tutti, don Mimì aveva organizzato anche un piccolo brindisi per i compaesani al bar della piazza, proprio sotto l'Orologio. Il maestrale per un attimo sembrò lasciarli stare consentendo auguri e saluti, ma erano solo le case a ripararli.

A Nancy, dopo aver salutato Tony, non importava più né di sua sorella, né di sua madre, né del black-out durante *Yes Jesus Loves Me*, né della sua amica Carmelina che era venuta in pullman da Conversano. Per lei esisteva solo lui, il suo corpo, il suo desiderio e il suo amore. Provò prima a chiedere a Ninella se era proprio necessario che lei partecipasse anche al ricevimento, visto che un contributo l'aveva già dato. Dopo aver visto la sua faccia, propose di invitare Tony a Masseria San Nicola, aggiungendo che a loro bastava una sedia soltanto. Sua madre la fulminò e le disse: «Ricordati che come ti ho fatto ti disfo» e chiuse la questione. Poi si mise a salutare persone che di solito le rivolgevano a malapena la parola, ma ora che s'imparentava con il "re delle patate" stavano lì a baciare perfino lo zio Franco. Lei sorrideva a tutti come se nulla fosse, e in fondo godeva. "Bastardi" pensava, "siete solo dei bastardi."

Quando però rivide la signora Labbate l'abbracciò come se fosse una parente, e l'altra lo sentì e si emozionò. In fondo la spiava perché era un po' sola e avrebbe voluto una vicina con cui passare il tempo.

Anche Chiara si rendeva conto di aver fatto carriera, solo che non l'aveva cercata. A lei bastava sposarsi. O almeno così credeva fino al giorno prima. E mentre un moto di soddisfazione le saliva da dentro, le saltò all'occhio una chioma abbracciata a suo marito. Riccia. Riccia e lunga. Rivide il capello sul cruscotto e le sembrò un po' troppo uguale. Che ci fa qui Alessia? L'unica ad accorgersi di quel turbamento fu Mariangela, che le parlò un momento: «Quella è 'na zoccola, e tu non puoi avere paura di una zoccola. Sono altre le donne che devi temere. *E capeit 'u fatt?*». Ma Chiara non si tranquillizzò per niente, mentre continuava a baciare sconosciuti che le dicevano «Sei bellissima», «Originali le calle», oppure: «Che peccato sto vento...».

Ci volle una foto ravvicinata di Vito a ricordarle la sua colpa, anche se continuava a non perdere d'occhio Damiano. Alessia aveva un abito maculato più adatto a una discoteca che a una cerimonia, e la guardavano tutti. In realtà, anche se l'aveva salutata senza eccessi, Damiano si era sentito mancare, lanciando uno sguardo disperato a Cosimo. Tutti avevano notato ed erano contenti di sgomitarsi l'un l'altro. Don Mimì, cui quella scena piaceva poco, si liberò dai suoi dipendenti che lo avevano fagocitato per andare ad abbracciare Alessia. Le si avvicinò sorridente – che bella sorpresa – la ringraziò di essere venuta, e dopo averle dato due baci, si trattenne un attimo al suo orecchio e le sussurrò: «Il fatto che non sei stata invitata non è stata una svista... abbiamo proprio deciso così. Quindi ti pregherei di andare via per rispetto di mia nuora». E lei, anche se ebbe la tentazione di fare la sceneggiata, si spaventò a tal punto che rigirò immediatamente sui suoi tacchi.

In mezzo alla confusione, l'aveva notata anche Orlando, che però era troppo impegnato a gestire la presentazione di Daniela ai parenti. «Stai con le gambe più larghe» gli suggeriva lei a bassa voce, «devi essere più virile.» E lui subito s'impettiva e tossiva, per essere maschio: «Ci siamo conosciuti a Monopoli e ti ho offerto il gin tonic, giusto?». «Sì, sì» lo rassicurava lei, sempre più abbagliante nel suo verde fluo.

«Allora, ci presenti questa famosa ragazza?» Uno degli zii si avvicinò con il solito tono. E lui a ripetere: «Lei è Daniela... ci siamo conosciuti a Monopoli...». Era il momento che lei preferiva. Sbatteva gli occhi verso Orlando, gli aggiustava la cravatta, e aggiungeva: «Pensa se non mi avessi offerto quel gin tonic!».

Gli zii se l'erano bevuta tutti.

Molto più difficile farlo credere ai cugini, in particolare a Cosimo, che continuava a fare domande sempre più precise: «E dopo Monopoli vi siete ritrovati a Bari?». E loro spezzavano la risposta in due in un modo talmente perfetto da sembrare stonato: «Sì, all'università... all'esame di diritto privato».

L'unica che non riusciva a godere della situazione era Matilde. Malgrado la marea di saluti, c'era qualcosa che offuscava la sua gioia. Aveva tanto sognato quel giorno, anche se nessuno l'aveva capito. Un figlio all'altare, e l'altro che si presenta accompagnato. Suo marito, però, non era più accanto a lei. Le aveva dato la mano, le aveva passato il fazzoletto in chiesa, ma sentiva che stava fuggendo via. Come se l'avesse lasciata senza lasciarla. Ora lo cercava in mezzo ai primi "hip hip hurrà" che si levavano insieme ai brindisi sotto l'Orologio. E don Mimì, con l'istinto che contraddistingue i grandi peccatori, sentì la necessità di tornarle vicino, chiedendo a Vito di scattare una foto insieme a sua moglie. La riportò sui gradoni della chiesa, che il sole rendeva sempre più luminosa. Raccolse in terra qualche petalo e glielo lanciò in testa, mostrando un aspetto goliardico che pochi conoscevano. Quel momento così comune per tanti, divenne un piccolo evento per Matilde e un piccolo dramma per Ninella.

Anche lei li spiava da lontano, ma decise di non rovinarsi la festa. Aveva già avuto la sorpresa di ricevere la telefonata di Mimì e si sentiva tranquilla. Continuava a ripetersi che era acqua passata, e poi aveva sempre il suo uomo dei surgelati una volta al mese. O magari si sarebbe iscritta su Facebook e avrebbe conosciuto qualche scapolo.

Vito Photographer aveva intanto dato il via alle tradizionali foto di rito: «I genitori! Gli zii di lui! I parenti di lei! Gli amici della coppia! Le ragazze del coro! Quelli della "Case di Puglia"! Quelli della Scagliusi & figli! Tutti i salentini! Tutti i bambini!».

E finalmente, dopo aver abbracciato l'ultimo ospite, Damiano e Chiara si ritrovarono in una foto da soli. Lei era ancora un po' turbata per aver visto Alessia, ma Damiano la stringeva con una forza tale che si tranquillizzò: «Sei bellissima» le diceva, «ti ho già detto che sei bellissima?».

Vito stava perdendo la pazienza mentre urlava: «Fermi! Fermi! Guardatemi! Ora tutti e due... su le mani! Siete a un matrimonio, non a un funerale!».

Alla fine dell'ultimo clic, Chiara si rilassò un attimo e provò a sgranchirsi le gambe. Ce l'aveva fatta. Si era sposata. Pascal, che la seguiva come un'ombra, le si avvicinò senza dire una parola, e lei tornò un'impeccabile lady inglese.

Il vento non dava tregua, ma il cielo era blu e la primavera sembrava rallegrare le persone. Ma proprio quando genitori e sposi avevano ritrovato un momento di calma, Orlando entrò in confusione. Aveva gli occhi sgranati, scuoteva la testa e ripeteva solo: «Oh mio Dio, no». Daniela provò a calmarlo, a dargli la mano, a fargli qualche carezza affettuosa, e non si capiva se a fargliele fosse l'amica o l'amante. Orlando aveva gli occhi spiritati di chi ha appena scoperto l'assassino e non ha la forza di parlare. Un uomo, accompagnato dalla moglie, si era avvicinato per fare gli auguri a suo padre e a suo fratello. Indossava un abito azzurro che lo imbolsiva un po', ma dal collo s'intravedeva una catena d'oro che lui conosceva fin troppo bene, oltre a tutto il resto.

L'Innominato era lì.

Era uno dei 287 invitati del matrimonio di Chiara e Damiano Scagliusi.

32

«Che c'è, Chiara?»
«Niente.»
«Quando dici niente, c'è sempre q...»
«...»
«Q...»
«...»
«Q...»
«...»
«Qualcosa.»
«Invece stavolta non c'è niente.»
«Hai una faccia troppo incazzata ed è il giorno del nostro matrimonio. È perché è venuta Alessia a salutarmi, vero?»
«Dimmi solo se ci sta provando ancora... ma dimmelo sinceramente.»
«Macché, secondo me voleva farsi un po' notare, hai visto com'era combinata?»

Damiano preferì anticipare l'attacco e provò a mettersi nei panni di sua moglie. La mossa, in effetti, la calmò. Se parlava così della ex, il capello trovato in macchina non poteva essere suo. In fondo qualcosa non le tornava, ma non aveva voglia di pensarci. E quell'inaspettato momento di gelosia l'aveva presa alla sprovvista. Aveva sempre dato per scontato il loro rapporto, dimenticando che ci sono solo due amori al mondo che si possono dare per scontati: quello materno e quello per la tua squadra di calcio.

«Non è neanche venuta a farmi gli auguri, sta cafona...»
«Lei è un po' timida... magari si vergognava.»
«Ho visto com'era timida, che si è presentata tutta preparata.»
In fondo Damiano sapeva che Chiara aveva ragione, per cui evitò una polemica che avrebbe finito per contraddirlo. Avvicinò il proprio naso al suo, guardandola così da vicino da non riuscire a metterla a fuoco. Ma lei non aveva ancora finito.
«... per fortuna Mariangela mi ha fermato.»
«Mariangela è una grande. Hai fatto bene a sceglierla come testimone.»
«Ragazziii!!! Per i commenti avete tutti i prossimi giorni... adesso concentratevi sulle foto! Ora c'è una luce stupenda e mi piacerebbe farne qualcuna sovraesposta. Forza ragazzi! FORZAAA!»
Damiano la prese per mano e le disse: «Vito ha ragione. Hai sognato questo servizio per mesi e ora non possiamo distrarci». Lei annuì sentendosi colta in fallo. Si affacciarono alla loggia cercando di dimenticarsi di essere davanti a un obiettivo: sotto di loro, il mare impazziva contrastato dal verde e dai sassi della spiaggia. Erano due cuori in balia del vento. «Ecco così... così... come se non vi foste mai visti... guardalo più sorpresa, Chiara, più sorpresa!!!... E tu Damiano sfuggile... tu vai verso l'orizzonte... guarda il futuro... il futuro!!!» Chiara e Damiano scoppiarono a ridere e Vito si risentì: «Ragazzi, le foto o si fanno bene o non si fanno... poi non vi lamentate che manca la poesia». Provarono a tornare seri ma ormai gli era presa la ridarola e non riuscivano a fermarla: non si erano mai divertiti tanto. Il photographer li guardava sconsolato, ma per fortuna arrivarono Mariangela e Pascal a riportare la situazione alla normalità. Erano riusciti a spedire quasi tutti alla Masseria San Nicola, soprattutto gli invitati che venivano da fuori. Il compito sarebbe spettato a Mariangela, in realtà, ma ormai, per la famiglia di Ninella, Pascal era l'unico punto di riferimento. Dopo le scarpe dello zio Franco, nessuna decisione sarebbe più stata presa senza il suo beneplacito.
Pascal interruppe lo shooting per dare un tocco di cipria a quel-

la che per lui era "la sposa dell'anno", frase che gli serviva per rendere le ragazze più sicure al loro ingresso in sala.

Da quel momento, Chiara si rivolse a Vito come se l'avvinghiamento del giorno prima non fosse mai esistito, e questo le permise di essere meno imbarazzata.

«Brava... più sciolta... così... credici... credici!» la incitava lui davanti agli occhi esterrefatti di Pascal, che non voleva polemizzare. Poco più in là, un'altra ragazza ripeteva la stessa scena con un altro marito e un altro fotografo. In giro per Polignano, a quell'ora, c'erano almeno quattro coppie, e nessuna si era sposata in paese. Ma nei matrimoni non è importante la verità: conta solo la bellezza.

Per un attimo, le due ragazze si fecero la radiografia al vestito, terrorizzate che l'altra avesse fatto una scelta migliore. Furono talmente concentrate nell'osservare l'abito che neanche incrociarono i loro occhi. Ognuna alla fine si sentì sollevata, pensando che l'altra fosse molto meno elegante. Solo quando vide il piccolo bouquet di ortensie, Chiara mise in dubbio le sue calle. I maschi invece non ci pensarono neppure a fare confronti, dicendosi solo "auguri-auguri" come la mattina di Natale. Tornarono alla scalinata sotto la statua di Domenico Modugno e si avventurarono verso le rocce di Grottone, il posto preferito dai polignanesi per fare il bagno.

Gli scogli irregolari rendevano complicato muoversi con i tacchi, ma secondo Vito «l'iperrealismo era la nuova frontiera della fotografia».

"A me mi pare 'na strunzata" pensò Damiano, ma non ebbe il coraggio di obiettare. L'importante, per lui, era che Chiara fosse contenta. La vedeva impacciata su quei sassi che le erano sempre stati amici, e pensava che appena fosse arrivata l'estate sarebbero tornati lì con le infradito.

«Ti ho già detto che oggi sei troppo bello?»

«Più di Innocente Mazzone?»

«Più di Innocente Mazzone.»

Innocente Mazzone era da sempre considerato l'uomo più bello di Polignano, e il metro di paragone di tutti i ragazzi del paese.

Damiano prese sul serio il complimento e si mise una mano tra i ricci. In fondo sapeva di piacere soprattutto per via dei suoi ettari coltivati. Quelle parole, dette da sua moglie in un momento così delicato, lo caricarono di felicità.

«E Daniela, l'hai vista? La ragazza di mio fratello...»

«La ragazza verde? Sì, si è presentata... è un amore. Ma è fidanzata solo di facciata, vero?»

«Perché?»

Damiano sentì le rocce sgretolarsi sotto i piedi.

«Quella ragazza la conosco, anche se lei non si ricorda. È venuta un po' di volte in agenzia perché voleva prendere un appartamento in affitto con un'altra ragazza... insomma mi hanno raccontato un po' la loro storia... ma qui in paese non le conosce nessuno, mi pare. Ti sei parlato con tuo fratello, vero?»

«Di cosa?»

«Di lui. Dell'omosessualità...»

«Ma tu lo sapevi?»

«Be', si capiva, dai. Ti ricordi come aveva le sopracciglia l'anno scorso?»

«Non ci ho fatto caso.»

«La mia estetista mi dice di guardare sempre le sopracciglia. Se sono troppo ad ali di gabbiano, poniti qualche domanda.»

«Comunque stamattina mi ha raccontato tutto. Da cosa l'hai capito?»

«Da come vi guardavate in chiesa. Sembravate per una volta dei veri fratelli, e Cosimo secondo me si è un po' risentito.»

«Dici?»

«Ho avuto quest'impressione. Però è stato bello che vi siate parlati: solo un segreto vi avrebbe potuto unire.»

«Mi raccomando, però...»

«Tu sai che da me non uscirà mai niente.»

«*Sciur't?*»

«Te lo giuro.»

Damiano guardò il mare e si sentì rincuorato. Si era sposato senza pensarci, ma stava scoprendo una ragazza che conosceva bene solo sessualmente. Lo eccitava tantissimo, e questo gli era sembrato sufficiente per sceglierla, oltre al fatto che fosse di una buona famiglia. Cosimo però gli diceva sempre: la cosa più importante è che funzioni a letto. Ora invece constatava che Chiara non solo valeva più di una scopata, ma sapeva leggere il suo sguardo.

Vito fece un colpo di tosse che equivaleva a un rimbrotto al megafono. Cominciava a essere seccato che il servizio dovesse essere continuamente interrotto da intermezzi personali, ed era infastidito dalla gioia che brillava negli occhi di lei. In fondo, era solo un po' geloso. Cercò di concentrarsi su luci e obiettivo, e scansò i cattivi pensieri per portare comunque a casa un bel lavoro. Si considerava pur sempre il più bravo fotografo di Conversano, e se avesse toppato il matrimonio di Damiano Scagliusi si sarebbe rovinato la reputazione.

«Ma veramente sono più bello di Innocente Mazzone?»

Damiano continuava a chiedere la stessa cosa come un bambino, e Chiara gli rispondeva di sì, in tono canzonatorio. La domanda era così infantile che alla fine se ne convinse davvero: quel giorno, Damiano Scagliusi era più bello di Innocente Mazzone.

33

La Masseria San Nicola era una pennellata di bianco in mezzo a ulivi secolari, ciliegi in fiore e fichi d'india. Aveva una torre merlata con poche camere extra-lusso, un corpo centrale su più livelli e una piccola chiesa romanica che custodiva antiche reliquie. I saloni del corpo centrale erano stati chiusi mesi per i lavori di ristrutturazione, e il matrimonio di Chiara e Damiano sarebbe stato il primo a inaugurare la nuova stagione. Malgrado qualche indiscrezione, l'allestimento era ancora top secret, ragione per cui Chiara, Ninella e la First Lady avevano optato per questa sala.

Ci avevano messo quattro mesi a decidere, trascorrendo tutti i weekend in giro per ville e masserie sperando di poter trovare qualcosa di unico, spettacolare, elegante, inimitabile, indimenticabile. E alla fine l'avevano trovato: il lampadario Swarovski della Sala dei Leoni. Quando glielo avevano mostrato in anteprima erano capitolate tutte e tre, immaginandosi foto, ovazioni e servizi ai tg. Chiara era anche riuscita a ottenere una fotocopia che aveva portato al suo stilista per coordinare l'abito al lampadario. Ma lui si era limitato a un paio di cristalli su una spallina perché diceva che era già abbastanza luminosa di suo. In realtà li trovava molto "cheap", come aveva detto ai suoi assistenti.

L'aperitivo venne servito nella sala Gattopardo, che era stata ritinteggiata in rosso pompeiano e questo procurò subito le prime critiche: "Era più bella prima, sembra più piccola adesso, questo colore mi soffoca, io la trovo un po' cafona". L'intervento di Giancarlo Showman che diede il benvenuto a tutti venne accolto nell'indifferenza generale, gettando l'uomo nello sconforto.

In una nicchia della sala, un quartetto d'archi accompagnava i panzerottini: «Sorprendere, dobbiamo sorprendere» aveva detto la First Lady senza sentire ragioni. Ora si godeva i violini di Bach mentre le sue sorelle avevano deliberato sull'abito di Ninella: volgarissimo. E poi che c'azzecca la collana di corallo ad aprile? Quella, in realtà, l'avevano notata molte signore presenti, ignare che la collana non fosse per loro.

Ninella, più che della mise, era preoccupata per il fratello. Temeva che ributtarlo dopo anni al centro della scena potesse essere un trauma per lui. Invece se la stava cavando benissimo: l'entrata in chiesa era stata perfetta e gli auguri all'uscita gli avevano dato sicurezza. Anzi, trovò una signora di Locorotondo non ancora sposata cui si accollò al primo cocktail di frutta analcolico.

Le due suocere, dopo i convenevoli davanti alla chiesa e a Polignano tutta – le avevano già soprannominate "la rossa" e "la grigia" – non si erano quasi rivolte la parola, ma non potevano più evitarsi.

«Volevo farle i complimenti per le modifiche al vestito. Quasi non si vedono.»

Ninella avrebbe voluto ammazzarla, ma le sorrise.

«Sono contenta.»

«... e mi pare che il décolleté così sia carino e che abbia ottenuto un discreto successo.»

Avrebbe voluto ammazzarla di nuovo, ma le sorrise.

«Già che parliamo di modifiche... avrei un paio di vestiti da mettere a posto... come è messa la prossima settimana?»

«Purtroppo ho molto lavoro arretrato. Ma magari tra una quindicina di giorni posso trovare un momento. Ora mi scusi ma c'è una mia cugina che non ho ancora salutato bene... poi si offende...»

Ormai era guerra e Ninella cominciava a essere stufa di quelle provocazioni piene d'invidia. Perché l'invidia è una bestia che riesce a farsi riconoscere anche in mezzo a un mare di complimenti.

E spesso i segnali sono parole come "quasi", "discreto" e "carino". Ma nessuno poteva scalfire la mamma della sposa che scivolava tra gli ospiti con il suo vestito rosso. Forte del consenso che leggeva negli occhi degli invitati, non sarebbe caduta nelle trappole di Matilde. In realtà sapeva che il matrimonio con don Mimì non era saltato per colpa sua. L'unico responsabile era lui, che per difendere i traffici loschi della famiglia aveva sacrificato i veri sentimenti. Ma a Ninella serviva un capro espiatorio. E chi meglio di colei che ti ha sostituito è perfetto per sfogare le frustrazioni?

Don Mimì le osservava da lontano, e da buon codardo ne stava alla larga. Sembrava contento ma non riusciva a dimostrarlo. Viveva in solitudine anche quella gioia che aveva sognato tante volte, ma che adesso si rivelava diversa da come l'avrebbe desiderata. Accarezzava nervosamente i suoi baffi ed era sempre più convinto che se fosse stato un buon padre, i suoi figli avrebbero fatto scelte più felici. Perché alla fine quello che restano sono i baci, non le macchine. La festa gli pareva che stesse andando alla grande e Orlando sembrava aver messo la testa a posto. In realtà si continuava a parlare di lui, perché il look di Daniela era così appariscente che tutti li guardavano. Pochi però osavano commentare. Don Mimì sentiva al suo passaggio la paura tintinnare tra i bicchieri e godeva in silenzio. Li odiava, e al tempo stesso non poteva fare a meno del loro assenso. Ninella continuava a festeggiare come se lui non esistesse mentre quasi tutte le altre donne, anche se velatamente, gli lanciavano sguardi ammiccanti. Alcune lo chiamavano "Mimì metallurgico" perché ricordava Giancarlo Giannini quando era l'uomo più bello del mondo. Lui flirtava appena, come ogni narciso che si rispetti.

Solo il vento gli dava un certo tedio, ma ormai se n'era fatto una ragione. I festeggiamenti si sarebbero fatti al coperto, e pazienza se il gran buffet dei dolci non sarebbe stato servito in terrazza.

Nancy se ne stava in disparte, un po' malinconica. «Niente» era la parola che ogni dieci minuti rispondeva alle zie che le chiedevano: «Cos'hai?». Non aveva voglia di chiacchierare con quelle cugine che vedeva poco e che erano vestite come ragazzine. Quando le avevano chiesto come mai sua madre le avesse permesso di truccarsi gli occhi in quel modo, lei aveva risposto: «Questa è opera di un make-up artist». E anche se ci teneva un sacco a sua sorella, non avrebbe più voluto essere lì. Tony le aveva detto che se non finiva tardi poteva farle vedere il trullo, e lei aveva iniziato a chiedere a tutti i camerieri: «Secondo te a che ore finisce questo supplizio?». Non poteva neppure sfogarsi con Carmelina perché si era offesa per come l'aveva snobbata in chiesa e ora non le rispondeva al telefono. Così ascoltava incantata il quartetto d'archi, che seguiva annuendo col capo: erano artisti, e solo un artista avrebbe potuto capire il suo stato d'animo.

Verso l'una e mezzo Mariangela iniziò a spargere la voce che Chiara e Damiano stavano per arrivare. Don Mimì corse ad attendere l'arrivo degli sposi all'ingresso medievale, pronto ad accogliere gli ultimi ritardatari come se fosse il sindaco del paese. Sindaco di cui ancora non si aveva traccia e che era quasi più atteso degli sposi.

L'unico davvero in ansia, anche se sorrideva, era Orlando. L'anima in pena di tutte le anime in pena. Dopo aver avvistato l'Innominato davanti alla chiesa, aveva perso lucidità.

Daniela era riuscita a tranquillizzarlo, facendolo ragionare: in questo modo avrebbe finalmente saputo chi fosse, cosa faceva, e soprattutto cosa c'entrava al matrimonio di suo fratello. Orlando non era sicuro che l'altro lo avesse visto, e voleva fare le prove con Daniela prima di andare a salutarlo. Solo che lei era talmente al centro dell'attenzione che non potevano fare nulla di strano perché li avrebbero notati. Così Orlando ripassava mentalmente. Gli piaceva immaginare la paura dell'Innominato. Lui sempre così sicuro di sé, avrebbe capito cosa significa essere ostaggio di qualcuno. O forse gli avrebbe sorriso chiedendogli di mollare tutto e partire. Ma Orlando era come sempre troppo ottimista. Quando se lo trovò davanti, mano nella mano con una donna vistosa quasi quanto Daniela, l'uomo della sua vita non batté ciglio, guardandolo come se fosse trasparente. Il perfetto sconosciuto che trovi di fianco al buffet ma è troppo intento a riempire il piatto. Fu la moglie bionda ad avere un'espressione insospettita, perché Orlando la fissava con gli occhi sgranati senza riuscire a controllarsi. "E così sei tu" pensava. "Sei tu che ce l'hai nel letto mentre sogna me."

Daniela stava lì a tirargli la mano come se fosse un cane, e tra gli zii si era già sparsa la voce che "Orlando si faceva mettere i piedi in testa dalla ragazza". In realtà lei trovava la situazione un po' comica. A sentire le descrizioni del suo migliore amico, l'Innominato era un uomo possente, alto, moro, muscoloso e soprattutto bello: mascella volitiva, occhi neri, qualche ruga portata con stile. Ora che l'aveva visto, si era resa conto di quanto la passione fosse in grado di alterare la realtà. Un uomo qualunque, con più pancia che muscoli, più peli che capelli e la famosa collana d'oro che usciva dalla camicia era terribilmente anni Ottanta. Come aveva fatto Orlando a perdere la testa per uno così? «Tu non puoi capire» era solo riuscito a dirle: «Non puoi capire».

Si attaccarono entrambi al Primitivo di Manduria. Orlando ne trangugiò un paio di bicchieri senza concedersi pause. In fondo, anche se non lo dava a vedere, era contento. Perché ora poteva ambire alla verità. E così i due provarono a divertirsi facendo finta di essere fidanzati. Si sfioravano, mangiavano ognuno le olive dell'altro, mimavano il brindisi con i bicchieri incrociati anche se si trattava di succo d'ananas. E gli invitati, a esclusione di Cosimo, iniziarono a crederci. Che bella coppia. Guarda come se la ridono. Come sono affiatati per essersi appena conosciuti. Anche se di lì a poco gli sposi avrebbero rubato loro la scena.

Giancarlo Showman, con addosso un po' di tensione, si stava preparando a comparire di nuovo. Il direttore di sala gli aveva detto che agli ultimi matrimoni gli sposi si erano lamentati della sua performance, e lui si era seriamente preoccupato: se si spargeva la voce che non era bravo, nessuno lo avrebbe più chiamato. Aveva anche appena fatto stampare mille nuovi biglietti da visita con le iniziali grandi "G.S." e sotto, più piccolo: "Giancarlo Showman".

Molti nelle masserie lo chiamavano semplicemente "lo showman", perché sapeva improvvisare. Ma da quando sua moglie aveva deciso di lasciarlo lui non era più riuscito a essere brillante come prima. Sapeva di doversi dare una mossa – molti giovani stavano crescendo ed erano pronti a sostituirlo –, e questo rendeva tutto più difficile. Piombò per la seconda volta in sala cercando di indossare, oltre allo smoking, il più allegro dei sorrisi. Si schiarì la voce e chiese di interrompere le libagioni. Tutti capirono cosa stava per succedere, ma continuarono a mangiare come se nulla fosse. Lui non si perse d'animo e continuò ad alimentare l'attesa come se avesse davanti la più silenziosa delle platee. Era la regola numero uno di ogni showman: "Se il pubblico non ti ascolta, tu continua a parlare".

«E mi dicono che ci siamo quasi, signore e signori... la sposa è già qui nel backstage pronta a ricevere tutto il vostro affetto... la volete vedere la sposa?... Non ho sentito... la volete vedere la sposa?»

Solo qualche vecchia zia fece sì col capo e lui sentì di avere in pugno almeno una parte dell'audience. Ninella lo vide un po' in difficoltà e decise di andare a sollecitare gli sposi prima che la First Lady piantasse una grana.

A qualche passo da loro, in una saletta minuscola, Pascal stava aggiustando il trucco di Chiara facendo i soliti movimenti con la bocca: «Ricordati che gli invitati ti perdonano tutto, ma non il ricevimento in sala. Quindi vediamo di non aggravare la situazione sbavando il make-up con le lacrime, ok?».

«Per ora mi sembra di essere stata brava.»

«Sì, ma ricordati che le lacrime sono un attimo. Un attimo e scendono! Starò tranquillo solo quando daremo le bomboniere, e ancora ce ne vuole.»

Chiara ebbe il dubbio che, rispetto alla sua, sarebbe stato più utile un'antipastiera della Brandani.

«Mi stai sentendo Chiara?»

«Sì, sì, le bomboniere.»

«Le bomboniere arrivano dopo. Prima c'è la tua performance. Devi salutare tutti, mangiare, stare accanto a tuo marito. Ricordati che ogni tuo gesto verrà osservato, quindi mangia il meno possibile. Meno mangi, meno sbagli. Poi a fine ricevimento facciamo un cambio acconciatura.»

«Un cambio acconciatura?»

«Lo so, non era previsto, ma sarà il mio piccolo regalo di nozze. Così li sciocchiamo tutti. Hai presente Olivia Newton-John alla fine di *Grease*?»

«No.»

«Sei giovane, mi scordo sempre. Comunque vedrai. Ora guarda un po' su che ti sistemo gli occhi.»

Accanto a lui, Mariangela era estasiata da tanta sicurezza mentre Damiano iniziava a perdere la pazienza. Era un po' infastidito che la sua donna fosse sempre a confabulare o con il nuovo guru o con Vito Photographer, che immortalava tutto come se fosse un reporter di guerra. Quando Ninella apparì con il suo fare diretto invitandoli a spicciarsi, anche Pascal si rese conto che era tardi. «È il momento» disse, non senza aver prima spruzzato un po' di spray sui suoi colpi di sole, e lei all'improvviso non ebbe più fretta.

Appena uno dei camerieri gli fece un cenno, Giancarlo Showman – sempre più sudato – riuscì finalmente a domare la platea acclamando ad alta voce: «E accogliamoli con un bell'applauso Chiara e Damiano, oggi sposi... evviva... fategli sentire quanto gli volete bene su... su... forza!».

Loro entrarono sulle note dei violini che vennero coperte da un lungo battimani, e Giancarlo pensò che quel calore fosse dipeso dalle sue parole.

Chiara guardò per terra per non commuoversi. Orlando fu l'unico a non ammirare la sposa. Pensò che in quel momento l'unica persona che poteva veramente aiutarlo era suo fratello.

34

Gran Buffet di Antipasti

CRUDO DI MARE
COZZE GRATINATE
SUSHI RIVISITATO
OSTRICHE AL GRATIN
TEMPURA DI VERDURE
GAMBERI CROCCANTI
CALZONCINI DI RICOTTA
ROMBINI AL GROVIERA
POLPETTINE
MOZZARELLINE ALLA MILANESE
I SALUMI DEL BUONGUSTAIO CON DELIZIE DEL CASARO
CAPONATINA LEGGERA DI ZUCCHINE
CRUDITÉ DI VERDURE

Il gran buffet di antipasti era un trionfo di abbondanza e varietà, frutto di una trattativa quasi più estenuante della scelta della sala. E se sul lampadario Swarovski le donne erano sempre state d'accordo, sulle portate l'unica scelta all'unisono era stata il "crudo di mare", perché dava prestigio al menu. Il resto fu il risultato di lunghe mediazioni, in cui misero bocca tutte, compresa Nancy. Ognuna ebbe la sua piccola vittoria: Matilde portò a casa le polpettine; Ninella le mozzarelline alla milanese per impressionare zia Dora; Chiara il sushi rivisitato perché le piaceva l'idea della rivisitazione; Nancy le crudité di verdure per avere qualcosa di francese e ipocalorico. Il risultato fu un menu «un po' incoerente», come provò a dire il direttore di sala, che appena vide le loro facce subito si corresse: «Incoerente ma decisamente interessante!».

C'erano calorie sufficienti per sfidare il pranzo di Natale, ma nel dubbio gli Scagliusi avevano preferito esagerare: meglio tre portate in più che una in meno. Avevano deciso di sobbarcarsi l'intero banchetto, e a nulla era valso l'orgoglio di Ninella. Per loro il matrimonio era anche un evento pubblico, quindi non volevano compromessi dettati dal budget.

Gli ospiti, per quanto abituati a pranzi luculliani, non si aspettavano tanto. «Vedrai che hanno lesinato sui primi» diceva una. «È impossibile che ne servano quattro come da mia figlia» ribatteva l'altra. E rendendosi conto di non avere troppi appigli sull'abbondanza, iniziarono a cercare altri difetti: i posti erano troppo stretti, i camerieri troppo lenti, gli anziani troppo lontani dal buffet, i tavoli troppo alti per far sedere i bambini. Intanto le cavallette, pur cercando di darsi un contegno, si erano catapultate sui vassoi armate di piatti e posate. Niente come un buffet rende gli uomini così piccoli, capaci delle peggio cose pur di arrivare primi all'ultima ostrica al gratin, «che poi le ostriche sono molto meglio al limone» dicevano.

L'unica che se ne fregava era Nancy. La vista del cibo le aveva tolto di dosso la malinconia perché aveva sospeso la dieta. Tanto avrebbe comunque rivisto Tony, che l'aveva apprezzata per come era, anche in versione afona e smemorata. Poi era così felice dei chili persi che pensò di potersi concedere un po' di tempura solo per il piacere di dirlo.

Durante gli antipasti, Giancarlo Showman presentò i singoli componenti del quartetto e per fortuna almeno Nancy – sempre vicina alle cause degli artisti – fece sentire la sua approvazione trascinandosi dietro qualche applauso. Dopo l'esordio con Bach, passarono prima a Mozart, poi ai classici anni Ottanta: «Sarà un revival raffinato» aveva detto il direttore di sala, «perfetto per conciliare i ricordi con il relax, che poi è lo scopo di tutti i matrimoni». Intanto Giancarlo era sempre più pensieroso, anche se era riuscito a organizzare una sorpresa richiesta da Damiano. Cercò di ripassare la regola numero due dello Showman: "Ricordati che, perché il pubblico si accenda, basta una scintilla". Pascal e Vito erano al suo stesso tavolo, un po' defilati rispetto agli ospiti del ricevimento. Lo guardavano con diffidenza e indifferenza, anche se a Pascal stava già simpatico: lui amava le sfide, e gli sarebbe piaciuto prendersene cura e farlo diventare, se non una stella dello spettacolo, almeno un bravo animatore di sala. Era ormai convinto di avere i superpoteri: con in mano ombretti e rimmel, pensava di poter risolvere qualsiasi tipo di problema. Ma quel giorno Pascal doveva prima occuparsi dell'immagine di Chiara.

In uno dei rari momenti di calma, mentre anche gli sposi provavano a mettere qualcosa sotto i denti, due donne stavano litigando per uno scontro fra carrozzine. Nessuna aveva voluto cedere il passo all'altra e così si erano sfiorate, svegliando uno dei neonati che aveva iniziato a strillare come un ossesso. Si aprì un caso diplomatico e dovette intervenire zia Dora per mettere le signore a tacere. Gli ospiti, ovviamente, beneficiarono di tale intermezzo ad alta voce, e lei s'illuse di poter lavorare all'ambasciata. Aveva appena saputo che sarebbe stata al tavolo Tramontana insieme a Ninella, e questo le aveva dato nuovi slanci. Quando udì alcune malelingue dire tra loro «Mi aspettavo più eleganza... più nero!», le interruppe dicendo: «Ma fatevi furbe e venite una volta su in Veneto... che vi vesto io...» senza lasciare il tempo di una risposta.

Ovviamente davanti al cartellone con la disposizione dei tavoli nacquero non poche discussioni. Parenti che non si parlavano sedevano a tavoli troppo vicini. Parenti che non contavano sedevano a tavoli troppo lontani. E poi c'erano i parenti che contavano.

Loro pretendevano di stare a un unico tavolo: quello del sindaco. Nessuno voleva il Maestrale, perché sembrava di cattivo gusto in una giornata come quella. Così Matilde fece un magheggio e se lo riassegnò insieme alle sue sorelle e don Mimì.

E mentre Chiara ascoltava i complimenti delle zie sulla spallina Swarovski, Damiano era ostaggio di suo fratello in un angolo lontano da tutti.

«Mi devi dire chi è, Damiano. Dimmelo!»

«Chi è chi?»

«Quell'uomo non tanto alto con il doppiopetto azzurro, che ha la moglie vestita tipo melanzana...»

«Ah, Antonino! Ha un ristorante a Monopoli, è un nostro cliente. Perché, lo conosci?»

L'uomo della sua vita si chiamava con un diminutivo.

«È lui, Damiano. È lui! L'Innominato! Lo capisci che fortuna? L'uomo che frequento ogni tanto... ma sempre di nascosto. Non sapevo neanche come si chiamasse.»

Damiano si guardò intorno col terrore che qualcuno degli invitati fosse nei paraggi. Si aggiustò la cravatta, abbassò la voce e gli disse:

«Tu oggi stai solo con Daniela. Daniela è la tua ragazza. Lei è la donna della tua vita. Quindi ora torni e vai da lei e ti dimentichi questa storia, ok?»

«Tu mi devi aiutare. Sei mio fratello.»

«Io sono tuo fratello e ti voglio aiutare, ma non ora. Non qui. È il mio matrimonio.»

«A me non me ne frega un cazzo che è il tuo matrimonio... tu mi devi aiutare adesso.»

«Tu sei pazzo, Orlando. E stai rischiando di cacciare tutti quanti nei casini. Quindi ora vai subito da lei, ti prego, fammi questo piacere.»

Provarono a tornare in sala come se nulla fosse, anche se erano piuttosto tesi. Per fortuna Damiano era sempre più preso dai saluti e iniziava ad avere una specie di compiacimento nell'ascoltare tutte quelle parole di circostanza.

Orlando era tornato imbufalito da Daniela, che aveva dato ragione allo sposo: «*Tu si' pacc'(ie)*. È il giorno del suo matrimonio... nessuno ha il diritto di chiedere un favore simile...». Ma Orlando era troppo fuori di sé e non perdeva mai di vista l'Innominato – Antonino! Antonino! – ogni volta che si faceva riempire il bicchiere. Sembrava tranquillo, con la moglie sempre incollata appresso. Orlando aveva provato a cercarlo sul cartellone, ma c'erano almeno altri quattro "Antonino".

Damiano li osservava con discrezione, mentre balbettava più del solito. Aveva il terrore che quello sciagurato del fratello potesse rovinargli la festa, e Chiara intuì che qualcosa non andava. Più passava il tempo e più le calava la tensione, anche se Pascal era sempre lì a ricordarle che quelli erano i momenti più pericolosi. Si avvicinò a suo marito con gli occhi che chiedevano: "Parla", ma lui non ebbe il coraggio di confidarsi, come se dirlo a qualcuno – moglie inclusa – potesse screditarlo senza rimedio. «Tutto okay» ripeteva, «tutto okay. Sto un po' così perché ci tengo al ricevimento.»

Fu Matilde a interrompere quel momento di nervosismo, aggiungendone di nuovo.

Si stava finalmente per aprire la sala dei Leoni per il pranzo vero e proprio, e c'erano ancora due ospiti che non trovavano posto. Avevano guardato e riguardato il cartellone con tutti i tavoli, e non erano presenti da nessuna parte. La First Lady scagliò il primo fulmine ufficiale su sua nuora: si trattava di due cugine di Ninella.

Chiara, dopo cinque minuti di smarrimento totale – l'incubo tavoli diventa realtà – tirò fuori il tatto che anni di vendite all'agenzia immobiliare le avevano affinato.

Andò da sua madre.

Insieme andarono dal direttore di sala.

Insieme andarono dal proprietario.

Abbassarono la testa davanti al rimprovero.

E accettarono le due cugine al proprio tavolo stringendosi un po'. "Era una sorpresa per voi" avrebbero detto. Loro due, pur accettando l'invito, si sarebbero offese e avrebbero tenuto il muso fino agli strigoli ai fiori di zucca e speck. In realtà, grazie a quell'imprevisto, le due cugine si trovarono molto più centrali rispetto al grande lampadario Swarovski che aveva ammutolito la sala. Appena entrate, tutte le signore si erano lasciate andare a un momento di sincerità davanti a quel capolavoro luccicante che riempì d'orgoglio Chiara, Matilde e Ninella, finalmente unite in un momento di fierezza.

La più arrabbiata, però, era zia Dora. Da regina del tavolo Tramontana, era stata costretta a stringere i gomiti per far spazio alle invitate non previste. "Queste cose succedono solo al Sud" avrebbe provato a dire prima che zio Modesto le tirasse un calcio sotto la sedia.

Il suo malumore venne coperto dal microfono di Giancarlo Showman. Sempre più preoccupato da una performance che avrebbe potuto condizionare la sua carriera, aveva trovato la forza di confidarsi con Pascal, che non vedeva l'ora di distillare qualche consiglio anche a lui: «Sii te stesso e fatti sentire a costo di urlare. Non devi chiedere ascolto. Devi pretenderlo. Ipnotizzali! E nel dubbio, fidati del tuo istinto».

Ma lo Showman non ebbe il coraggio di improvvisare e si era affidato al suo cavallo di battaglia: la favola dei due sposi. La gente che si era già abbuffata di antipasti era disposta a sentire tutto tranne quello. Dopo aver raccontato che la principessa di Polignano aveva trovato il suo re in un campo di patate – risero solo i bambini – invitò le persone a salutare Chiara e Damiano prima di sedersi ad assaggiare i primi.

Nessuno però si mosse. Gli sposi lo guardarono perplessi, il direttore di sala lo guardò accigliato e Matilde non lo guardò proprio. Solo Pascal fu incoraggiante, e lui prese finalmente la rincorsa prima di gridare: «VENITE A SALUTARE GLI SPOSI, FORZA!».

Tutti finalmente capirono e si misero in fila. Era giunto il momento di consegnare le buste.

35

Lo schieramento era degno degli incontri tra capi di Stato.

Al centro, gli sposi. Da un lato, don Mimì e Matilde. Dall'altro, Ninella e zio Franco. Anche in quel momento così fondamentale – la consegna delle buste con auguri e denari – Ninella aveva preferito sfidare gli Scagliusi e Polignano intera, costringendo tutti a salutare anche suo fratello. Per lui fu una punizione soprattutto perché aveva male ai piedi. Le scarpe troppo nuove gli stavano procurando vesciche che lo facevano quasi zoppicare. Ninella e don Mimì continuavano a non guardarsi né provavano a farlo, ognuno rigido nel proprio ruolo istituzionale. Li separavano solo i loro figli, ma Matilde non li perdeva mai di vista. E loro sentivano quegli occhi addosso come fucili.

I fratelli degli sposi stavano un passo indietro, pronti a raccogliere le buste e custodirle dentro un cestino. E se Nancy era felice di un ruolo così da protagonista, Orlando dovette richiamare tutte le sue forze per avere una faccia accettabile. Era sull'orlo di un precipizio che poteva portarlo alla felicità o all'inferno, e non sapeva cosa desiderare. Sapeva solo che stava male, e non c'è niente di più doloroso che stare male a una festa. Daniela gli era vicino, ma non bastava.

Intanto era iniziata la processione dei parenti che, in ordine quasi religioso, proferivano baci a genitori e figli per poi fermarsi allo sposo, cui il capofamiglia dava la busta. Sembrava la consegna di qualcosa di losco, o di un po' infantile, tanto avveniva in modo discreto. Un po' come quando la zia ti dà la mancia, tua madre ti dice di non prenderla ma in fondo vuole che tu la prenda.

E Damiano stesso, quando passava la busta a suo fratello, lo faceva di spalle, senza guardarlo, come uno spacciatore di droga. Orlando prendeva e metteva nel cestino, pensando quanto sarebbe durata quella via crucis. Con Daniela, fino a poco prima, aveva invece pensato di farne sparire un paio per trascorrere le vacanze a Gallipoli.

All'improvviso il bivio paradiso-inferno si palesò davanti a lui. Dalla fila spuntò l'Innominato – Antonino! Ecco Antonino! – accompagnato dalla moglie melanzana. Allo sposo salì la tensione. Voleva incredibilmente bene a suo fratello, ormai lo aveva capito, ma sapeva che era una bomba a orologeria. Si voltò verso di lui con uno sguardo che era più una supplica che una minaccia. Orlando provò a uscire dal freezer e da quella situazione scioccante, sforzandosi di sorridere. Non voleva rovinargli la festa ma non si sarebbe mai immaginato di trovarsi in una situazione così. In un attimo, Antonino era già lì: «Auguri, Damiano. Questa è mia moglie, e questa busta è per voi».

Orlando assisteva alla scena cercando di essere naturale, ma iniziò a prudergli il naso che cominciò a grattare come un ossesso. Poi iniziò a prudergli la testa. Ci mancava solo che gli prudesse anche il culo! Sembrava un adolescente alla sua prima cotta, e forse lo era. Aspettava un cenno, un'alzata di sopracciglia, ma niente. L'Innominato, che solo il giorno prima aveva amato e baciato e riempito di taralli e champagne, non lo riconosceva più. Una maschera impermeabile all'emozione. In realtà, a osservarlo bene, una vena gli pulsava vistosamente sul collo.

Finalmente la processione terminò. Le buste vennero consegnate a Matilde, che salì nella torre merlata e le mise nella cassaforte della suite degli sposi. Giancarlo Showman aveva lentamente iniziato a credere in se stesso. Forse ce l'avrebbe potuta fare. Bastava solo entrare in un altro personaggio. È da quello, no, che si vede un bravo attore?

Salì sul palco al fondo della sala, dove erano già pronti gli strumenti per l'esibizione dal vivo.

«Come va, signore e signori? Vi sentite più leggeri adesso?... Non ho sentito... VI SENTITE PIU LEGGERI?»

Qualcuno accennò un timido sì.

«Bene... ora potete sedervi ai tavoli assegnati che vi abbiamo preparato un po' di assaggini. Ci vediamo al prossimo break per il ballo degli sposi!»

Posò il microfono e tornò al suo tavolo dietro le quinte. Pascal fu meno severo di quanto avrebbe voluto ma era già soddisfatto del suo miglioramento, anche se non gli disse nulla. Vito Photographer lo guardava dall'alto in basso. A Giancarlo non restò che consolarsi con i primi.

GNOCCHETTI TRICOLORE CON GAMBERETTI
E ASPARAGI IN SALSA BIANCA
LINGUINE AI RICCI DI MARE
STRIGOLI AI FIORI DI ZUCCA E SPECK
RISOTTO ALLO CHAMPAGNE

In sala si sentivano solo i bambini, le posate e un brusio. Matilde non aveva voluto i balli tra antipasti e primi, né la musica durante le linguine, perché diceva che faceva cafone. Così aveva imposto un momento di silenzio, che ora pareva stonato. Da scelta di classe venne interpretata come un taglio necessario dei costi: se metti il violoncello, a qualcosa dovrai rinunciare.

Il più inacidito era Vito Photographer. Gli dava proprio fastidio che Giancarlo potesse guadagnare dicendo quattro cavolate tra una portata e l'altra, e ancora aveva la faccia affranta di chi fa un lavoro faticosissimo. Ed era un po' urtato da Chiara, che non prendeva più una decisione senza essersi consultata con Pascal, il vero re Sole della festa. Il truccatore, come lo chiamava lui, si era anche permesso di suggerire qualche posa fotografica agli sposi, che avevano accettato con tale entusiasmo da lasciarlo basito. Come se non bastasse, su 287 invitati solo una ragazza gli aveva chiesto il suo biglietto da visita come fotografo. Ma la mazzata finale gliela diede il sindaco: arrivato per gli gnocchetti tricolore, aveva chiesto di non essere fotografato per ragioni di privacy.

Chiara e Damiano, nel frattempo, giravano tra i tavoli tenendosi per mano, e più passava il tempo più sentivano quanto era bello quel gesto. Pascal ormai aveva preso in simpatia anche lo sposo e si permetteva, ogni tanto, di correggergli la postura o sbottonargli la giacca.

Ogni volta che gli invitati si alzavano in piedi, in un brindisi che per lei era sempre cozzalissimo, la First Lady provava un certo godimento nel vedere il tavolo di Ninella affollato di zii e cugini. Il vino aveva aiutato a sciogliersi anche zio Franco: dopo vent'anni di isolamento, non gli sembrava vero di avere tanta gente intorno a sé. Ma parte del buonumore derivava anche dai suoi piedi. La signora di Locorotondo gli aveva suggerito di sfilarsi le scarpe in modo che potesse rilassarsi un po'. E lui era rinato. Se le infilava solo quando si doveva alzare per brindare, lasciando il tallone fuori per qualche secondo.

Gli sposi approfittarono di un momento di calma per stilare un primo bilancio della giornata.

«Sta andando tutto bene, no?»

«Sì, a parte il tavolo di mamma. Quelle due cugine non so proprio come abbiamo fatto a scordarcele... guarda zia Dora com'è incazzata. Abbiamo combinato un casino con questi tavoli col nome dei venti. Mai più.»

«Mai più? Hai già intenzione di divorziare?»

«Piantala, scemo.»

«Ma non se n'è accorto nessuno, dai. Stanno solo un po' più stretti. L'importante è che poi è venuto il sindaco, hai visto?»

«Sì, ma poteva almeno mettersi un vestito da cerimonia.»

«Evabbè quante pretese. Ringrazia che è venuto, questo ci allontanerà un sacco di critiche.»

«O ce le farà fare... l'importante è che se ne parli!»

Pascal sentì le ultime parole ed ebbe un moto d'orgoglio. I suoi ragazzi imparavano in fretta. In effetti, di lì a poco nacque subito una nuova discussione. Un bambino era riuscito ad avere una lattina di Coca-Cola e come in un domino tutti i tavoli ne avevano pretesa una.

Alla fine del risotto allo champagne, che zia Dora sospettava fosse fatto col prosecco Valdobbiadene, salirono sul palco i Jonathan Music, una band salentina che non si era mai esibita più su di Brindisi. Chiara li aveva visti una volta dal vivo e n'era innamorata. Damiano non aveva avuto da ridire, Ninella si era fidata ciecamente e Matilde aveva preteso in cambio il silenzio durante i primi.

Ora però la responsabilità era tutta sulle sue spalle. La cantante si chiamava Alicia perché la sua voce ricordava quella di Alicia Keys. Indossava un elegante tubino nero, mentre gli altri musicisti erano in smoking, suscitando l'ammirazione di tutti. Giancarlo Showman prese il microfono e annunciò il gruppo che aveva fatto battere il cuore agli sposi. E mentre invitava i bambini a fare il girotondo – i bambini gli davano sempre retta – Alicia aveva iniziato a intonare *La solitudine* di Laura Pausini in francese. La canzone del primo ballo suscitò non pochi commenti sia per il titolo sia perché "Marco se n'è andato e non ritorna più" non era proprio un buon auspicio. Per fortuna in francese si capiva meno. Alicia cantava benissimo, come dimostravano gli occhi estasiati di Nancy.

Giancarlo chiamò gli sposi al centro della pista e lentamente riuscì ad avere l'attenzione come ai "vecchi tempi". Chiara fu all'inizio un po' timida – come si conviene a ogni sposa beneducata – ma lo sguardo di Ninella e la mano di Damiano la convinsero ad alzarsi quasi subito. Pascal non perse l'occasione di ribadirle di stare con la schiena dritta, e lei provò a fare Gisele Bundchen. Non avevano frequentato nessuna scuola di ballo per l'occasione, per cui si abbandonarono a quel lento come due adolescenti che non osano mostrarsi in pubblico. L'ovazione fu incontenibile e finalmente eccolo, il bacio. I tavoli vicino alle casse ovviamente si sentirono offesi dai decibel, e alcune signore erano tentate di protestare, ma i mariti furono bravi a calmarle: «È solo un pranzo di matrimonio» disse malauguratamente uno.

Al termine del brano, Giancarlo Showman si avvicinò alla coppia per rivelare la prima sorpresa delle loro nozze. Chiese un po' di silenzio, che riuscì a ottenere con qualche difficoltà. Era un pubblico oggettivamente difficile.

«Cari Damiano e Chiara, questo giorno così importante non ci sarebbe mai stato senza i vostri genitori... e tu, Chiara... tu... hai avuto una madre davvero straordinaria... che ti ha cresciuto quasi da sola...»

Giancarlo Showman indicò il tavolo di Ninella e lei accennò un saluto.

«E allora vorrei invitarla qui a ballare il prossimo lento... dico proprio a lei, sì, Ninella... si prepari... e... insieme a lei...»

Si girò intorno come se non avesse ancora deciso riuscendo a ottenere il massimo dell'attenzione.

«... il padre dello sposo... don Mimì... sì, esatto... per unire definitivamente queste due famiglie!!!»

La sala, dopo un primo "Oh", ammutolì.

Ninella si sentì la sedia mancare e gli occhi del mondo addosso. Anche don Mimì ebbe un tuffo al cuore. Non sapeva cosa stesse succedendo, e come mai qualcuno al microfono leggesse ad alta voce i suoi pensieri. C'era una sola persona che li conosceva, oltre a Ninella, con cui si era confidato quella mattina. Ed era Damiano. Lo cercò con gli occhi, mentre lo Showman continuava a incitarlo ad alzarsi e la sala cominciava ad applaudire imbarazzata. Suo figlio lo vide e gli fece l'occhiolino, ma era commosso, si vedeva. Aveva dato lui l'imbeccata a Giancarlo. Nel giorno in cui Mimì credeva di aver fallito come padre, Damiano aveva compiuto un gesto d'amore. Si fece coraggio e, senza neanche guardare sua moglie, si alzò dal tavolo e si avvicinò a quello di Ninella.

Lei vide la vita che voleva venire a passi lenti verso di sé. Gli applausi via via scemavano e nella sua testa tutto diventava ovattato come in una ninna nanna.

Si guardò intorno incredula e trovò Nancy che le diceva: «Evvai, mamma, vai». Ninella si alzò come se avesse vinto l'Oscar, e diede la mano al suo Mimì.

36

In quel momento, anche i bambini sembrarono darsi una calmata.

Decisero di cambiare gioco e andarono a nascondersi nei bagni, inseguiti da qualche madre. Agli occhi di Ninella, ancora vicina al suo tavolo, la pista sembrava immensa. Un palcoscenico troppo grande anche per lei, che pure aveva sognato quella rivincita. Don Mimì invece si sentiva a casa, e non gliene importava granché che sua moglie fosse sull'orlo di una crisi di nervi, con le sorelle che la guardavano come dire "fai qualcosa" e lei lì, col cuore a pezzi e gli occhi fissi, neanche fosse il ministro degli Interni a un funerale. Ogni tanto muoveva la testa in giro per far vedere che non aveva paura della gente. E la gente, per il momento, non fiatava.

Ninella e don Mimì arrivarono al centro della sala a passi piuttosto lenti. Lui la teneva per mano senza romanticherie, la testa alta e ferma. Lei lo seguiva un passo indietro, e con lo sguardo cercava le righe tra i marmi del pavimento. Il naso le restituiva la scia di quel profumo che non era cambiato. Le malelingue non avevano vere ragioni cui aggrapparsi. Formalmente erano due compari alle nozze dei loro figli, che li guardavano abbracciati e dondolanti, noncuranti di Pascal che li avrebbe voluti un po' più eretti.

«E ora che i genitori degli sposi si sono finalmente decisi a fare questo ballo insieme, c'è una sorpresa speciale... dedicata a Ninella... la signora in rosso... *the woman in red*... Fatele un applauso così si scioglie un po'...»

Tutti battevano le mani e lei voleva sprofondare.

«... ed è dedicata a lei una canzone salentina che la nostra Alicia canterà in una rivisitazione che ha vinto molti premi... una versione dolcissima di un classico della nostra terra... signore e signori... ecco a voi *Ninella mia*... Vai Alicia!»

La voce dello Showman rimbombava nella stanza come un megafono delle giostre. Stava ritrovando il vecchio coraggio e quella storia l'aveva galvanizzato. Ai matrimoni succede sempre di tutto, ma mai uno sposo gli aveva chiesto di far ballare il proprio padre con la madre di sua moglie. E quando Giancarlo aveva convocato il gruppo musicale, Alicia aveva capito subito che dietro c'era una storia speciale.

Quannu te llai la facce la matina
l'acqua Ninella mia nu l'hai menare
nu l'hai menare no...
l'acqua Ninella mia nu l'hai menare.

Si fermarono tutti, e tornarono anche i bambini.

Lo zio Modesto fu il primo a commuoversi, pensando a suo fratello che non c'era più e al Salento della sua giovinezza. Zia Dora sognò che qualcuno chiedesse anche a lei di non buttare via l'acqua con cui si lavava la faccia al mattino. Voleva essere al posto di Ninella, dentro il suo abito rosso, che in movimento era ancora più sexy.

Lei aveva deciso di vivere quel ballo fino in fondo. Non riusciva più a essere arrabbiata con don Mimì, la cui mano sinistra le teneva la schiena come se fosse un tango. Sapeva di avere i fari puntati, ma non gliene importava più, che la guardassero pure. Eccolo, il mio amore. Si è appesantito, ha messo su pancia e le spalle sono un po' scese. Ma per me non è mai stato più bello di oggi. Standogli vicino, poi, brucia. Lo sentite voi che brucia? Lui vive solo così. Ma lo dovete toccare, altrimenti vi sembrerà un freddo calcolatore. E voi, malgrado tutto quello che avete detto, che avete pensato, non potrete mai separare ciò che Dio, purtroppo, non ha unito.

In sala non si muoveva nemmeno una posata. Un momento di poesia che chiedeva solo attenzione, mentre una ragazza cantava quella storia in versione strappacuore. «Ninella mia» ripeteva. «Ninella mia.»

Chiara e Damiano, in piedi, sentirono che il loro amore non era così grande, ma questo li confortò e li incoraggiò a crederci di più. Quell'amore faceva paura. I loro genitori si muovevano come libellule senza aver provato un passo, senza aver danzato insieme nemmeno una volta.

Come nelle fiabe, era un ballo senza prove. E a pensarci bene, non c'è principessa che pesti mai un piede. Al massimo perde una scarpa. Ma Ninella aveva tacchi sicuri avendoci camminato in casa, di nascosto, per giorni. I due incrociarono i loro occhi solo un paio di volte, quando don Mimì provò a cambiare passo inventandosi una piroetta. E furono sguardi felici.

Tutte le parole che avrebbero voluto dirsi, le lasciarono all'immaginazione dei presenti. Erano talmente entusiasti che si abbandonarono a un casquet un po' troppo ardito per due consuoceri. Fu la loro vendetta. E lì, finalmente, lui riconobbe la collana che le aveva regalato con le prime paghette. Vederla fu come ascoltare le parole che lei non gli aveva potuto dire.

Damiano e Chiara capirono che dovevano intervenire. Anche Cosimo, che coordinava tutti i cugini, faceva a Damiano cenni abbastanza eloquenti. Giancarlo Showman entrò in pista con la padronanza di chi sa quando è il momento giusto, invitando gli sposini ad avvicinarsi per il finale della canzone.

Il gesto provocò un boato. Lui e Pascal erano troppo esperti per non aver colto i messaggi non scritti di quella messa in scena del destino. La più romantica cui avessero mai assistito. Per un attimo, dimenticarono che erano lì per lavoro. Videro solo l'amore, e lo fecero applaudire per scacciare le lacrime. Perché al matrimonio degli altri puoi piangere solo se sei invitato. Giancarlo Showman cercò di non pensare alla sua ex moglie e di godersi la scena. Anche Pascal fece lo stesso. Mariangela gli si accostò e lui le afferrò la mano per non farla più andare via. A lei venne il dubbio che forse non era gay e il gesto le cambiò completamente prospettiva. La più appassionata a quella scena era Nancy, che li teneva d'occhio mentre mandava qualche cuoricino a Tony e faceva pace con Carmelina.

Nel delirio dei "Viva gli sposi!" che seguirono, la First Lady rimase in piedi, circondata dalle sorelle, a fare finta di applaudire. Si sentiva offesa, e a nulla valse lo sguardo di don Mimì che le mandò un bacio invitandola in pista nel *Ge-ghe-ge-ghe-ge-ghe-gè* che Alicia fece partire di botto.

L'Innominato mollò lì la moglie per fare una sosta in bagno. Orlando, che non l'aveva perso di vista un secondo, lo seguì, sebbene Daniela avesse provato a trattenerlo in ogni modo. Quel giorno così pieno di felicità non poteva non riservare una sorpresa anche per lui.

37

L'Innominato si stava guardando allo specchio, quando vide Orlando entrare di soppiatto, come un assassino. Ma non si scompose. Cercò di non mostrare tensione, anzi lo salutò con calma, per rassicurarlo, come si fa con i pazzi.

Mentre si lavava le mani, però, pensava solo a uscire da lì. Perché anche se nessuno sapeva e sospettava, scoprire che il suo amante era parte della "Scagliusi & figli Import Export" lo aveva mandato in confusione. Aveva iniziato a sudare ed era stato fortunato che nessuno si fosse ancora tolto la giacca, perché sarebbe stato un unico alone.

Sua moglie aveva intuito qualcosa, con quegli occhi che solo le donne hanno, quando vogliono. Poi aveva deciso di passare sopra al comportamento un po' strano del marito, e si era consolata del fatto che nessuna avesse scelto la tinta melanzana della sua mise, che lei chiamava "blu violaceo".

«Seguimi» gli disse Orlando mentre apriva la porta dell'ultimo bagno: «Seguimi, Antonino» disse per la prima volta. Lui si guardò intorno – cedo o non cedo? – e non seppe resistere alla tentazione. Appena si chiusero dentro, gli saltò addosso: «Pazzo, sei pazzo!», ed era già sul suo collo. Vederlo in giacca e cravatta e con la faccia da ragazzino gli diede ancora più alla testa. Quegli occhi azzurri, poi, scacciarono gli ultimi dubbi. Gli prese la mano e l'appoggiò sui suoi pantaloni gonfi, che sbottonò il minimo indispensabile. Non pensavano ai vestiti nuovi, alle macchie, alle pieghe. Pensavano solo a godere. Il sesso diede a entrambi quell'euforia che scaccia immediatamente la paura, anche se l'Innominato si fermava ogni due minuti allarmato da qualsiasi rumore.

Vennero insieme, e in fretta, senza il coraggio di guardarsi troppo a lungo. Cosa abbiamo fatto, pensavano, ma l'unico a essere pentito era l'Innominato. Orlando provò a baciarlo, e ad accarezzargli la faccia, ma venne scansato malamente: «Eddai». Stavano ancora respirando pieni di affanno quando qualcuno bussò alla porta.

Silenzio e panico.

Bussarono di nuovo.

Silenzio e panico.

Orlando era già pronto a dire qualcosa mentre Antonino, terrorizzato, gli fece cenno di stare zitto. Per fortuna sentirono aprirsi la porta di fianco, mentre dalla sala arrivava la voce di Alicia che, messo da parte l'orgoglio, intonava «Maracaibo, mare forza nove» come se le piacesse.

Dopo una nuova sequenza di sciacquoni, passi e rubinetti, era tornato il silenzio. L'Innominato, riabbottonati i pantaloni, decise che era arrivato il momento di tentare la fuga. Aprì velocemente la porta e uscì per primo, richiudendola subito alle sue spalle. Non fece in tempo a rilassarsi, che don Mimì comparve lì davanti.

Gulp.

L'uomo più potente di tutta la sala, il padre dello sposo, il padre del suo amante, aveva lo sguardo fisso su di lui. Provò ad andarsene il più lentamente possibile per sembrare naturale. Lo salutò con un cenno del capo e tornò al tavolo cercando di non correre. Fu una delle camminate più difficili della sua vita. La moglie lo vide arrivare mentre finiva le linguine ai ricci.

Don Mimì era rimasto davanti alla porta del bagno. Poteva ancora decidere di fare finta di nulla, entrare in un altro cesso e chiudere la questione. Ma quel giorno voleva solo vedere in faccia la realtà. Non gli restava che verificare quello che in fondo aveva sempre saputo. Bussò con violenza senza dire una parola, ma nessuno rispose. Provò ad aprire la porta ma era chiusa a chiave. Continuò a bussare così forte che stava per sfondarla. Le spalle erano sì un po' più basse, ma le braccia erano ancora toniche e le mani sarebbero state capaci di stritolarti. All'ennesimo tentativo, sentì suo figlio dire come se nulla fosse: «Un attimo... è occupato!».

Ma don Mimì continuava a bussare come un pazzo, senza parlare e senza fermarsi. E dopo qualche istante, sentendo che non aveva alternative – la finestra era troppo piccola e troppo alta – Orlando aprì la porta e uscì.

Gulp.

Vide suo padre con gli occhi sbarrati, e immaginò subito le sberle che gli arrivavano da bambino e gli facevano vedere il cielo nero. Invece non arrivò niente. Don Mimì lo stava osservando come se volesse parlare solo con i suoi occhi, ma alla fine disse: «Hai finito di pisciare?».

Lui era così imbarazzato che annuì senza aggiungere nulla e fece finta di lavarsi le mani. Si guardò allo specchio e pensò che non gliene importava più niente: né di suo padre, né di suo fratello, né di quella recita ipocrita. Tornò in sala aggiustandosi i capelli, fiero di aver vissuto un momento di ebbrezza tale da durargli sicuramente qualche ora. Daniela mangiò la foglia e sentì che i guai sarebbero arrivati presto. Gli diede un bacio per mettere a tacere i pettegolezzi, ma lui reagì con un "lasciami stare" che molti videro. Almeno cinque persone iniziarono a guardarli con occhi diversi.

Don Mimì era rimasto invece ancora lì senza sapere che fare. Alla fine si chiuse in bagno con doppia mandata. Voleva lasciare il mondo alle sue spalle.

Uno dei suoi figli si era nascosto proprio in quel posto con un altro uomo, e probabilmente ci aveva fatto sesso. Una cosa che avrebbe sconvolto qualsiasi padre, lo lasciò quasi completamente indifferente. L'importante era che nessun altro li avesse notati, perché in quel momento non gli interessava più essere genitore. Gli premeva soprattutto ritrovare se stesso. Appoggiò la schiena al muro, si toccò i baffi e ritornò a quegli attimi che aveva appena vissuto in apnea, mentre la collana di Ninella gli sfiorava il viso.

Alla fine del ballo l'aveva lasciata ai suoi parenti ed era tornato da Matilde, che non dava segni né di rabbia né di vita. Aveva provato a dirle: «Come me la sono cavata?», restando però senza risposta. Ma lui non si sentiva in colpa. Era un uomo che aveva trovato un momento di gioia, e non avrebbe mai voluto lasciarla andare via. Non potendo restare ancora in pista con Ninella, sentendo l'ostilità di sua moglie, aveva preferito fuggire in una toilette. Si abbandonò al ricordo ancora fresco per rivedere i suoi passi, mentre nelle orecchie sentiva "*Ninella mia nu l'hai menare*". Gli occhi gli si riempirono di lacrime, che lasciò andare come quando rivedeva *I ponti di Madison County*: "I vecchi sogni erano bei sogni... non si sono avverati... comunque li ho avuti".

Più frastornato di lui c'era solo l'Innominato, che sembrava un condannato dopo la sentenza, accanto a una moglie che cercava di socializzare con le altre persone. Era sconvolto, non aveva nessuno con cui parlarne, e non si poteva certo confrontare con Orlando. Lo intravedeva accanto a Daniela, che nel suo verde era visibile a chilometri di distanza, e pensò che aveva avuto tutti i segnali per capire che quel ragazzo era uno Scagliusi. Troppe cose coincidevano: la villa al mare, le macchine, l'azienda agricola dei suoi a Polignano di cui non aveva mai voluto sapere di più. Non aveva mai voluto sapere e adesso era arrivato il conto. Aveva bisogno di ritrovare la calma, così fece finta di ricevere una telefonata e si allontanò dal tavolo. Quattro passi in solitudine l'avrebbero aiutato. Al fondo del corridoio, come nei peggiori melodrammi, don Mimì veniva verso di lui.

Super Gulp.

Non aveva scampo. Sembrava non riuscisse a svegliarsi dall'incubo. Don Abbondio davanti a Don Rodrigo. Si sforzò di accennare un sorriso e di continuare a parlare al telefono, ma l'altro l'afferrò per un braccio senza sentire ragioni:

«Vieni qui, Tonino, senti a me...»

L'Innominato fece finta di mettere giù.

«Tu puoi sempre comprare la mia merce, e ti farò ancora più sconto, ma guai a te se tocchi ancora mio figlio.»

Antonino non rispondeva ma continuava a ripetersi: "Non abbassare la testa, non abbassare la testa, non abbassare la testa...". Don Mimì però non aveva ancora finito.

«Tua moglie ti aspetta al tavolo. Ti conviene tornare in sala prima che qualcun altro le metta gli occhi addosso.»

L'Innominato pensò a quanto sarebbe stato bello morire in quell'istante senza lasciare tracce, neppure un po' di cenere da spargere in mare. Sparire e basta. Fece cenno di sì col capo e tornò in sala maledicendo l'arroganza che l'aveva cacciato nella peggiore delle situazioni. Quella sicurezza che ti dà l'avere una persona in pugno, con l'illusione che tu possa gestire anche il mondo intorno. Ma il mondo intorno è di tutti, e ha delle regole.

Sua moglie stava cominciando a perdere la pazienza. «Dev'essere stato il crudo di mare» bofonchiò lui toccandosi lo stomaco, e lei lo guardò severamente, invitandolo a continuare a mangiare, perché non ci si può arrendere a un pranzo di nozze. Bisogna resistere, resistere, resistere. Lui ci provò, pensando che quella fosse la giusta punizione. Quando però vide che Orlando continuava a cercare insistentemente il suo sguardo, capì che l'unica soluzione era la fuga. Disse alla moglie che proprio non ce la faceva e preferiva tornare a Monopoli. Così si accomiatarono dagli altri ospiti del tavolo e andarono a salutare gli sposi.

Damiano gli strinse la mano freddamente, mandandolo ancora di più nel pallone. Suo fratello gli aveva confessato chi era e voleva che gli arrivasse tutto il suo disprezzo. Chiara era troppo impegnata nei rituali per provare a protestare: «Come sarebbe che andate già via?».

Ma un campanellino le suonò in testa, facendo rimbombare tutto come una sirena d'allarme. Stava per consegnare la sua prima bomboniera. Aveva girato tutta la Puglia per trovarne una adatta. E pur avendo un budget piuttosto alto, era stata un'impresa perché la bomboniera perfetta deve seguire dieci regole, ovvero essere:

- memorabile (nel bene);
- riconoscibile;
- utile;
- bella;
- nuova;
- sorprendente;
- elegante;
- abbastanza costosa, ma non troppo;
- alla moda;
- sempre di moda.

Alla fine, dopo un tira e molla estenuante, Chiara aveva scelto un portagioielli in argento con le loro iniziali incise, a prova anti-riciclo.

Tutto questo sembrò interessare pochissimo l'Innominato, che prese la bomboniera senza notare neppure il filo con cui era infiocchettata. Ringraziò un po' velocemente ma riuscì a dire che era stato «un matrimonio indimenticabile», e lo pensava di sicuro. Prese la moglie per mano e si avviò verso l'uscita. Prima di andare via ebbe il tempo di scorgere Orlando che lo seguiva da lontano. Abbassò la testa e proseguì dritto.

Giancarlo Showman invitò tutti a digerire con un po' di macarena.

38

Dentice alla mediterranea
Dorso di ombrina steccata al timo
Filetto ripieno con formaggi
Fantasia di verdurine
Insalatina di germogli
Patate arrosto

Per don Mimì era impensabile un matrimonio degli Scagliusi senza patate, per cui le aveva prima imposte nel menu, poi fornite personalmente alla masseria. Dopo il dentice alla mediterranea, i Jonathan Music avevano dato il via ai balli di gruppo. Gli uomini allentarono cravatte e camicie, qualcuno tolse la giacca, e le donne smisero di vedere una rivale in ogni invitata. I più scatenati erano i bambini, che s'infilavano dappertutto, anche sotto i tavoli.

Qualcuno, però, non si divertì. Zio Franco si stava godendo la festa flirtando a distanza con la signora di Locorotondo, quando notò una delle sue scarpe in pista. Giancarlo Showman vide in quell'oggetto uno spunto d'intrattenimento per cui chiamò al microfono il "Cenerentolo" – disse proprio così – chiedendogli di fare la prova calzatura a centro pista. Ridevano tutti, anche il direttore di sala. L'unica seria era Ninella, che riconobbe subito la scarpa incriminata. Guardò il fratello, che avrebbe preferito essere nuovamente arrestato piuttosto che subire un'umiliazione del genere. Ma a tutto c'è un prezzo, nella vita. E in effetti era stato perdonato troppo velocemente. Si alzò e si avvicinò alla scarpa mentre Matilde mostrava a tutti i suoi occhi da cartone animato: sembrava Iriza di *Candy Candy*. Zio Franco sorrise imbarazzato e nella sala dei Leoni si misero tutti a sghignazzare. Ninella era già abbastanza sconsolata di suo, ma zia Dora aggiunse che lei l'aveva detto, che era meglio quella con la fibbietta: «Sarebbe stata più difficile da togliere».

Per fortuna lo Showman, sempre più padrone della situazione, decise di dare il via al trenino. In mezzo al caos generale, Pascal e Mariangela avrebbero voluto innanzitutto baciarsi, ma non potevano. «Lo so, in tanti pensano che io sia gay» le diceva lui all'orecchio. «Ma io sono solo isterico! Ho anche perso dei lavori perché sono stato frainteso in quel senso... se non sei gay in certi ambienti non vai da nessuna parte... ma mica tutti i truccatori sono gay! E poi io so fare tutto...» le sussurrava con malizia.

Il clima era tra il goliardico e il surreale. Famiglie in lite si ritrovavano a danzare nella stessa fila, facendo il giro intorno a tavoli che, fino a poco prima, sembravano territorio nemico. Anche il sindaco si concesse alla folla, ricevendo una vera e propria ovazione. Chiara e Damiano si guardavano e ridevano, pensando "chi ce l'ha fatto fare". Però per nulla al mondo avrebbero deluso i loro genitori: «Un matrimonio senza trenino è un matrimonio destinato all'infelicità» aveva detto don Mimì quando era ancora in sé.

I Jonathan Music furono bravi a variare le scelte musicali, alternando gli anni Ottanta alla canzone popolare, la pizzica con la musica leggera. E Alicia, sempre più strizzata nel suo tubino, si stava divertendo a vedere una sala così partecipe.

Nancy era sempre più in fase "up" mentre Ninella, a parte la scarpa di suo fratello, non si era ancora completamente ripresa. Alla fine del ballo era dovuta tornare al tavolo dalle cugine dimenticate, che l'avevano accolta con parole affettuose. Lei però aveva un tormento che non era riuscita a confessare neppure a sua figlia.

Aveva vissuto l'emozione di *Ninella mia* in silenzio, costretta a fare finta che fosse una cosa normale. Ma dopo l'ultimo trenino non ce la fece proprio più. Doveva togliersi quel dubbio dalla mente, così si avvicinò a Vito Photographer:

«Secondo lei c'è qualche foto del ballo?»

«Dei balli di gruppo ne ho quante ne vuole...»

«No, intendo di quello dov'ero io.»

Vito la guardò con aria di chi, all'improvviso, capisce tutto.

«Certo, signora, ne ho una molto bella, guardi qui.»

Ninella stava morendo dalla curiosità. Così, malgrado avesse bisogno degli occhiali, spostò il piccolo schermo a distanza per mettere a fuoco l'immagine: lei e Mimì abbracciati, stretti in quella canzone che non avrebbe mai dimenticato. Avrebbe avuto un ricordo, almeno uno, del vero amore. Ci sono amori che non lasciano nemmeno una foto, e sono i più difficili da dimenticare. Lei ne avrebbe avuta finalmente una.

Vito si era nel frattempo preso una pausa prima dell'ultimo rush: il taglio della torta e il lancio del bouquet semicascante. A dire il vero, si era un po' defilato. In fondo gli spiaceva aver fatto il cretino con una ragazza su cui sapeva di avere un certo ascendente. *Egoïste!* gli gridava la pubblicità nelle orecchie: *Egoïste!* E lui sentì la necessità di un nuovo chiarimento.

La mattina era stato liquidato troppo in fretta, e aveva bisogno di essere perdonato. Così si avvicinò a Chiara mentre stava discutendo del cambio acconciatura prima del gran finale. Lei era ormai talmente calata nella parte che non vide più in Vito il ragazzo che l'aveva fatta tremare il giorno prima. Davanti a sé aveva un uomo in total black con scarpe poco lucide. Il Photographer la trascinò fuori dalla masseria, e senza che lei si rendesse conto di nulla, le chiese: «Mi perdoni?».

Chiara lo guardò spiazzata, ed ebbe paura di ricordare tutto quello che aveva fatto e rischiato. Decise che non aveva tempo e, soprattutto, non le importava. Se non ci fosse stato Vito non avrebbe mai compreso quanto in realtà ci tenesse non solo al matrimonio, ma anche a Damiano. Poi aveva visto sua madre ballare e questo le aveva dato euforia.

Vito la guardava in attesa di un sì.

In realtà, aveva solo bisogno di essere ancora al centro dell'attenzione, e lei glielo concesse senza pensarci. Si abbracciarono con innocenza, anche se non agli occhi di Damiano, che stava vedendo la scenetta di fianco a Cosimo: «Che ci fa tua moglie abbracciata al fotografo? Vai a riprendertela che te la frega... vai... corri!» lo sfotteva davanti agli altri cugini. E lui le andò incontro a passo così spedito che sembrava sospinto da un tapis roulant. I ricci non erano più perfetti, ma l'andatura trasmetteva sicurezza.

Appena lo videro arrivare, i due restarono immobili. Per fortuna Vito era troppo abile a mentire, e tirò subito fuori la storia della casa che Chiara gli aveva trovato, e che non vedeva l'ora di sposarsi per poterli invitare, e discorsi del genere. Il tutto non giustificava quell'abbraccio, ma Damiano doveva soprattutto dimostrare ai cugini che si sarebbe ripreso sua moglie. Così liquidò il fotografo, prese Chiara per mano e la trascinò di nuovo in sala.

«Adesso ti spiego, Damiano, che fai?»

«Di questo parleremo d...»

«...»

«D...»

«...»

«D...»

«...»

«Domani. Ora balla, balla con me che ci guardano tutti.»

E la obbligò a ballare *Aserejé*, povera Chiara, ad alzare le braccia e a invitare tutti ad abbandonare le patate al forno.

Gli invitati non ci stavano capendo più niente, ma è questo il bello dei matrimoni: arriva un momento in cui la festa va avanti da sola, quasi per inerzia, spinta solo dal desiderio di finire con un digestivo e un applauso. Quando le persone cominciarono a essere davvero sudate, Giancarlo Showman decise di proiettare il video che Vito aveva finito di montare la mattina stessa. Tutti tornarono ai propri posti e davanti al palco scese magicamente uno schermo: "Chiara & Damiano – Love Story". Gli sposi assistevano a quelle immagini in piedi, sotto gli occhi di tutti, tenendosi come sempre per mano. Ascoltarono i pregi dell'uno e i difetti dell'altra, i gusti preferiti, il regalo più bello. Il bacio al ralenti sugli scogli venne interrotto da un grande "Hip Hip Hurrà!", che coprì il sottofondo di *My Heart Will Go On*. E su quella canzone, che nessuno sentì, comparve la scritta "Just Married".

Appena si accesero le luci accadde ciò che non sarebbe mai dovuto accadere: la sposa si era commossa, e i due lucciconi le stavano facendo colare il mascara sulla faccia. Pascal non riuscì a incazzarsi più di tanto, perché Mariangela lo convinse che anche quello faceva parte della festa. Così le tamponò il viso come poteva in vista del cambio look per il taglio della torta. Prima, però, Giancarlo Showman prese di nuovo il microfono perché Orlando aveva deciso di dedicare un discorso agli sposi. L'euforia dell'alcol spinse tutti ad applaudire e lo Showman, ormai con il pubblico in pugno, gli fece avere ovazioni da stadio.

Alla fine del discorso, però, in sala calò per la seconda volta il gelo.

39

Gran Buffet di Frutta e Dolci

Meringata

Torta di fragoline di bosco con crema chantilly

Torta mimosa

Cheesecake alla fragola

Torta di frutta secca con glassa al cioccolato

Torta della foresta nera

Bicchierini con panna montata, meringhe e frutti di bosco

Torta all'arancia e cioccolato bianco

Mousse di marron glacé

Biscottini della felicità al cocco e vaniglia

Spiedini di frutta caramellata

Tiramisù alla san Nicola

Sfogliatelle di pere, cioccolato e cannella

Bignè allo zabaione

Torta al Grand Marnier e lamponi

Millefoglie alle sette creme

Crème caramel allo zenzero

Tazzine di frutta sciroppata con panna

Torta zebrata

Più che un buffet di frutta e dolci, era un delirio di onnipotenza.

Chilometri di calorie capaci di far cedere anche la più ligia delle modelle. Trionfi di fragole, creme, meringhe e paste frolle che restavano lì, innocenti, ad ascoltare bisbigli per interpretare il finale con cui Orlando aveva chiuso il discorso.

Un ringraziamento pieno di pathos per i genitori, che aveva strappato un sorriso a sua madre Matilde – le tue polpette sono le migliori del mondo! – per la prima volta in scena con un bell'applauso che sentiva di meritare. Poi era passato a suo fratello con una voce allegra e un consiglio divertito: «Se non vuoi avere problemi con Chiara... lasciale l'ottanta per cento dell'armadio!». E lì ottenne pure qualche simpatico fischio. Poi spese parole per la sposa, che rideva contenta: «Sono certo che Damiano sarà un buon marito per te... anche se il lunedì ti lascerà sola per andare a calcetto... ma stai tranquilla: basta che gli fai trovare un pacchetto di Pringles con la Coca-Cola e lui si calma subito!».

«Bravo Orlando!» dicevano le signore e Daniela si prendeva un po' i complimenti anche lei. Damiano lo guardava e rideva tenendo Chiara per mano: sembravano la coppia presidenziale a una convention americana. Fu proprio quel gesto a far perdere di colpo il senno a Orlando. Tutti sono felici tranne me. Tutti ridono anche se non c'è niente da ridere. In realtà aveva bevuto – tanto – per non piangere dopo che l'Innominato si era dileguato senza salutarlo. Costretto da Daniela, aveva provato a mimetizzarsi nei trenini. Aveva ballato *Aserejé* con gli occhi pieni di lacrime. Ma dopo un discorso impeccabile, vedere gli sposi emozionati lo aveva gettato nello sconforto. E in sala era tuonato il gran finale prima della torta: «In questo giorno pieno d'amore per mio fratello e Chiara, mi auguro di poter provare anch'io una volta la stessa gioia. Purtroppo... al momento non è possibile... a quelli come me... non è possibile... essere felici... come fanno tutti... sposandosi».

Tra "come fanno tutti" e "sposandosi" era passato un silenzio interminabile. L'imbarazzo era così palpabile che alcuni bambini avevano chiesto cosa stesse succedendo.

Il coming out al matrimonio era una delle poche esperienze che mancava a Giancarlo Showman. Doveva decidere in fretta il da farsi, perché la situazione era fuori controllo. Ma lui preferì aspettare qualche secondo e al microfono disse: «Grazie Orlando per le tue belle parole...».

Non applaudì nessuno.

Così decise di rompere quel vuoto assordante battendo per primo le mani, ma lo seguì solo Daniela, quasi per disperazione. Gli altri erano rimasti attoniti ma lo Showman continuava imperturbabile e guardava tutti negli occhi senza paura fino a che, lentamente, la sala fece sentire a Orlando un po' di calore. Nessuno ricordava una scena simile in anni di banchetti. "Quelli come me" fu la frase più ripetuta vicino alle carrozzine, dove le donne si erano rifugiate per spettegolare a caldo. Tutti avevano capito, perché tutti sapevano, anche se la frase incriminata aveva un piccolo margine d'interpretazione. A quello si aggrappò Matilde, per cercare di non sprofondare nella vergogna. "Quelli come me" vuol dire "quelli sensibili come me" aveva provato a tradurre dentro la sua testa, ma non le quadrava.

L'unica divertita era zia Dora: diceva a tutti che a Castelfranco, nel suo palazzo, c'era una coppia gay ed erano brave persone. Nessuno le aveva dato retta più di tanto, a parte Nancy, che credeva nell'amore in tutte le sue sfumature.

Il più deluso era lo sposo, tradito pubblicamente da Orlando senza una ragione, dopo che si erano ritrovati e abbracciati. Aveva iniziato a balbettare: «Come ha potuto mio fratello farmi questo?», ma Chiara fu brava a fermarlo. In quel momento, del "matrimonio perfetto" le interessava molto meno. Era assai più contenta di avere un marito che non le piaceva solo nudo, ma anche vestito. Avrebbe avuto voglia di prenderlo e portarlo nella torretta merlata e riempirlo di baci mentre gli altri spettegolavano sui dolci troppo dolci o troppo secchi.

Damiano pativa in primo luogo che quel siparietto fosse avvenuto sotto gli occhi di suo padre. Ma don Mimì da un lato, e Ninella dall'altro, non si erano quasi accorti di cosa fosse successo. Pensavano ancora al loro ballo, e avevano preso il discorso di Orlando come una pausa dentro cui cullare i propri segreti. Don Mimì si era accarezzato i baffi tutto il tempo. Ninella pensava a dove avrebbe potuto appendere la foto. Soltanto il silenzio finale li aveva allarmati, ma quando Giancarlo Showman aveva iniziato ad applaudire, don Mimì era stato il primo ad andare dietro a Daniela, e gli scappò anche un «Vai Orlando! Vai!» che tutta la sala, sotto shock, aveva preso a imitare. «Vai Orlando! Vai» dicevano, tra lo sfottò e lo sconcerto.

Questo avrebbe comunque aiutato il figliol prodigo, e nemmeno poco, perché nessuno aveva avuto più il coraggio di riportare a don Mimì le parole esatte.

Giancarlo Showman, passato il momento difficile, diede il via al gran buffet di frutta e dolci. E mentre zia Dora si avventurava sulla torta zebrata, lui ricevette i complimenti da Pascal e Mariangela per come aveva gestito la situazione. E anche se i due non vedevano l'ora di sparire e tubare, Pascal voleva prima portare a casa una festa di nozze di un certo livello. Per cui, mentre le cavallette trovavano le forze per un ultimo sprint sui bignè, lui prese Chiara, Mariangela e Ninella e le portò nel salottino che aveva utilizzato come base per i suoi lavori di restauro.

«Quindi vuoi cambiare pettinatura?»

«Sì, Chiara... senti a me. Ne parleranno tutti per mesi. Solo le vere star cambiano acconciatura durante la festa.»

«E perché non me l'hai detto prima?»

«Perché non avresti resistito e l'avresti raccontato a qualcuno... mentre questa dev'essere una vera sorpresa. E ora che questi capelli semisciolti iniziano a patire un po' di lucentezza...»

Mentre parlava l'aveva già messa a sedere infilzandola di forcine.

«... noi li raccogliamo tutti in uno chignon campagnolo...»

«Chignon campagnolo?»

«Amica mia tu sei una ragazza di campagna, si vede lontano un miglio! Sei semplice, non hai tante sovrastrutture... quindi qualche fiorellino in testa ti farà sembrare come la *Primavera* di Botticelli... sarà un taglio della torta indimenticabile.»

Mariangela non osava fiatare, sempre più affascinata da quell'uomo che le dava sicurezza e la faceva ridere. Ninella guardava la figlia di nuovo sotto la spazzola senza aver capito come mai fosse così necessaria la sua presenza. Era contenta di essere accanto a lei, ma più di tutto avrebbe desiderato stare sola.

«Pascal, mica vorrai cambiare i capelli anche a me? Io sono convinta dei miei colpi di sole...»

«E ci mancherebbe che non fossi convinta, sei un amore... ma ho bisogno del tuo aiuto: so che questo vestito da sposa non era così... ieri gli hai dovuto aggiungere il pizzo sul décolleté perché quella strega te l'ha imposto... giusto?»

«Ma come fai a saperlo?»

«Ricordati che Pascal sa sempre tutto.»

«E quindi cosa devo fare?»

«Ci sono delle forbici, lì nella mia borsa. Scucilo, taglialo... facciamolo sparire. Facciamo vedere a tutti com'era la sposa... *The Original!* Li sciocchiamo! Hai presente Olivia Newton-John alla fine di *Grease*?»

«E certo che ho presente. Quando spegne la sigaretta col tacco. È lì che ho cominciato a fumare...»

E così, galvanizzata da quell'immagine, Ninella iniziò a scucire il pizzo che aveva inserito, mentre la testa di sua figlia si riempiva di roselline. Fu un atto liberatorio. Come se eliminare quella parte del vestito fosse anche un taglio con il passato. Mai più, si diceva, mai più, mentre Chiara la guardava orgogliosa. Rivide il suo abito come l'aveva scelto e sognato e le stavano di nuovo per scendere due lucciconi.

«Guai a te. Avevi due lacrime e te le sei bruciate durante il filmino, che se ti posso dire ti potevi evitare...»

«Non ti è piaciuto?»

«Era una pacchianata, dai! Ma che c'entra "Just Married" in inglese?»

«E perché non me l'hai detto prima?»

«Nessuno ha chiesto il mio parere...»

«...»

«Non te la prendere, però. Tutte permalose ste spose, oh... il filmino è piaciuto a tutti, e questo è l'importante. Ma per il taglio della torta e il lancio del bouquet devi essere top, okay?»

Sorrisero confortati, e a Chiara scappò un abbraccio verso quell'uomo che l'aveva fatta sentire, per la prima volta, sicura di sé. Tornò al piano di sopra, senza saperlo, con lo stesso spirito di Olivia Newton-John alla fine di *Grease*. Tutti si accorsero prima della scollatura, poi dei capelli, poi delle roselline in testa. E partì spontaneo un altro battimani. Il più sincero, il più caloroso, quello che tutti sognano e che pochi realizzano. L'applauso che ti fa sentire amato.

Matilde fu la prima a notare la scollatura, ma era troppo stanca per continuare a lottare. E poi lei pensava soprattutto a Orlando e a quelle parole sibilline. Un po' per la vergogna, un po' perché nessuno ci voleva avere a che fare, lui era rimasto in un angolo a guardare i dolci e a fare finta di mangiarne uno. Se avesse potuto, se ne sarebbe tornato a Bari. Ma Daniela l'obbligò a prendere uno Xanax, che rese tutto più semplice, e lo confortò dicendo che sotto alcol diciamo tutti tante sciocchezze. In realtà, lo avrebbe strangolato.

Cosimo, sollecitato a riportare in sala il buonumore, era arrivato verso di loro con due bicchieri di champagne. Daniela, malauguratamente, gli rispose: «No, grazie, sono astemia».

«Come sarebbe che sei astemia? Ma quando vi siete conosciuti a Monopoli lui non ti ha offerto un gin tonic?»

«... cosa?»

«Quando vi siete conosciuti, a Monopoli, mi dicevi che Orlando ti aveva offerto un gin tonic... me l'hai raccontato prima...»

«Esatto, esatto... il gin tonic di quando ci siamo conosciuti, certo... e chi se lo scorda? È da lì che sono diventata astemia. Quella sera ne ho bevuti veramente troppi... ma ne è valsa la pena.»

Cosimo disse solo «Bella storia» e li lasciò per andare ad applaudire il taglio della torta, che stazionava carismatica al centro della sala.

E mentre ognuno trovava ancora un posticino per quella delizia senza eguali, i due fratelli, sebbene lontanissimi, finalmente si rilassarono. La pasta sfoglia stava facendo dimenticare tutto, mentre Alicia cantava *The Long and Winding Road*.

La First Lady continuava stoicamente a sorridere. La pace catalettica di suo marito da un lato la rassicurava, dall'altro era la dimostrazione che tutto ciò che lei aveva sempre sentito e previsto non era frutto di immaginazione. I due si amavano ancora. Era troppo diffidente per condividere quel sospetto con qualcuno, per cui scippò a Giancarlo Showman il microfono per esorcizzare il suo dolore. «Viva gli sposi!» cominciò a gridare. «Viva gli sposi più belli di Polignano!» E tutti si voltarono a guardarla come se fosse ubriaca, prima di seguirla nei cori. «Strana gente, gli Scagliusi» mormoravano le signore davanti alle carrozzine. «Avranno tanti soldi, ma sono strani.»

40

Quando entrarono in camera, gli sposi erano talmente stanchi da non riuscire a parlare.

Damiano era ancora nervoso ma lo champagne lo aveva rilassato, e ora voleva solo godersi la gloria finale. Ripensava ai cugini venuti da lontano, a Cosimo con cui non aveva avuto modo di intrattenersi granché, e ai tanti amici che avevano fatto chilometri e sacrifici per lui. Li rivedeva, in quella sequenza di volti che pensi di essere costretto a salutare, invece alla fine ti fa solo piacere. Perché il ricordo di un abbraccio resta molto di più di un riso scotto o di un posto a sedere attaccato agli altoparlanti. Cercò di non pensare più a Orlando, anche se la testa tornava sempre lì. E incredibilmente, più che rabbia, provava rimorso. Suo fratello gli aveva chiesto di aiutarlo con l'Innominato, si era fidato di lui, e lui aveva pensato solo a cosa avrebbe detto la gente. Probabilmente, se gli avesse dato una mano prima, avrebbe evitato quel discorso imbarazzante che per fortuna i suoi genitori sembravano non aver capito bene. Suo padre, in particolare. Il ballo che gli aveva regalato con sua suocera era stata una vera follia. Può un figlio spingere il padre tra le braccia di un'altra donna?

Lui non avrebbe mai pensato di farlo, ma il bisogno di quel ballo gli era venuto dal cuore. Si sentiva debitore di un segreto così grande, e Giancarlo Showman era stato bravissimo nell'aiutarlo, perché aveva agito senza fare domande.

Quei passi erano stati la lectio magistralis di un amore impossibile. Gli occhi al posto delle parole. Il casquet al posto di un bacio.
«A che pensi?»
Chiara sentiva ancora il profumo di ammorbidente della sua camicia.
«A mio fratello e al suo discorso... forse ho reagito troppo male...»
«Capirà che eri solo un po' teso, e poi hai visto che nessuno gli ha dato retta. I dolci hanno messo tutti a tacere.»
«È vero.»
«...»
«...»
«Sono contento che il bouquet l'abbia preso Mariangela... era proprio destino che fosse la tua testimone.»
«Ma va', ci siamo messe d'accordo! Lei mi ha detto che si sarebbe buttata a destra e io ho lanciato tutto a destra... per una volta non ho fatto confusione tra destra e sinistra.»
«Ma siete due disoneste!»
Si baciarono, ma gli scappava da ridere. Damiano trovò il coraggio di dirle che «forse le calle non erano la scelta migliore» per poi fare marcia indietro subito dopo. Ma ormai il bouquet era tra le braccia di Mariangela, che a sua volta era tra le braccia di Pascal.
La suite della masseria era una chicca pseudobarocca con un letto a baldacchino di una scomodità sconcertante. Pure la stanza da bagno, che era grande come la cucina di Ninella, aveva tutto luccicante ma tutto scomodo. Per dare un sapore antico, non c'era la doccia ma solo la vasca da bagno piazzata in mezzo alla stanza, per di più senza il miscelatore: «La prossima volta che ci sposiamo, andiamo in una camera normale!» aveva detto Damiano tra i respiri che preannunciano il sonno. Ma il pensiero di Alessia gli diede un'ultima scossa. Avrebbe potuto rovinargli la festa e cambiare la sua vita, e questo lo turbò.

Chiara era più serena. Lasciate alle spalle le note di *Macarena* e *Maracaibo*, si sfilò i tacchi e trovò la pace. Era stato tutto più bello di come se lo era immaginato.

Sua sorella si era rivelata una scoperta, e pazienza se si era impallata su *Yes Jesus Loves Me*. Nessuno aveva avuto veramente il coraggio di criticarla, anzi: quel momento di umanità l'aveva resa più simpatica a tutti. Di zio Franco non avrebbe ricordato l'ingresso in chiesa, ma quello in pista per riprendersi la scarpa.

E non poté non pensare a sua madre. Ora che non aveva addosso più né gli occhi né la pressione di tutti, poteva finalmente rivedere quel ballo nella sua testa. Di fatto, ricordava poco. Come quando vedi una partita guardando solo il cronometro, perché l'importante è che arrivi il fischio finale. E lei, man mano che la canzone si avvicinava alla conclusione, sapeva che quell'incanto sarebbe finito. Le sarebbe piaciuto condividere quei pensieri con Damiano, che aveva visto turbato, ma erano pur sempre i loro genitori ed entrambi sapevano che non si sarebbero dovuti intromettere. Soprattutto dopo aver visto le espressioni della First Lady, che tutti e due avevano notato.

«Che dici, lo facciamo ora?»

«Ora sono proprio stanca.»

«Ma ti pare che per fare l'amore devo fare l'annuncio? Intendevo aprire le buste.»

Il tono era un po' infantile e creava complicità. In effetti, l'idea di scoprire il loro tesoretto gli aveva messo addosso un po' di eccitazione. Per anni avevano chiesto alle altre coppie «Quanto avete fatto?», e ora sarebbe toccato a loro. Così Damiano spinse sua moglie giù dal letto e la convinse a svuotare la cassaforte. Si sentivano un po' Lupin e Margot: le buste erano tante, tantissime, e gonfie di euro, parole e assegni postdatati. Incredibilmente, però, più erano gli euro e meno erano le parole.

Lui prese il quaderno che aveva lasciato in camera la First Lady e chiese a Chiara di leggere ad alta voce i biglietti e contare i soldi. Così cominciò un'allegra litania di nomi e numeri: "Annamaria e Michele, 600 euro", "Antonella e Onofrio 1000 euro", "Gianni e Annamaria Polignano, 1200 euro", "Cono e Tiziana 400 euro", "Zia Rosa 300 euro", "Valentina e Giuseppe 1000 euro", "Donatella e Antonio, 500 euro", e così via.

C'era anche una busta vuota, accompagnata da una parola sola: "Scusateci". Era firmata da zio Modesto. Si erano talmente indebitati con le perdite azionarie che non avevano più soldi. Lo zio aveva provato a convincere la moglie a regalare il 3 lire di Toscana usato, che avevano trovato da un antiquario in Egitto, ma zia Dora si era opposta, perché sarebbe stata la prova del loro momento di difficoltà. La busta leggera aveva invece molto più senso alla luce delle ultime discussioni: la zia non aveva però capito, e non avrebbe saputo, che l'avrebbero consegnata vuota.

La sposa si sentì inadeguata, in quel momento, perché era un parente suo, e non ne sapeva nulla. Ma a Damiano non interessava per niente, perché non aveva mai dato valore ai soldi. Quello sarebbe stato il loro primo segreto. Giurò che non lo avrebbe rivelato a nessuno e aggiunse: «Mai fidarsi troppo di come sembrano le persone».

Lo disse senza balbettare, come se la fede al dito gli avesse dato l'autorizzazione a dire ciò che pensava. E l'idea di non dover più tornare al "teatro Petruzzelli" lo stava facendo sentire libero. Quella casa era troppo dispersiva, e lui preferiva spazi a misura d'uomo. Poi non avrebbe più visto sua madre friggere polpette, né sofferto dei silenzi di don Mimì mentre guarda il vuoto.

Chiara continuava a elencare auguri e cifre, che allontanavano man mano la stanchezza. I soldi hanno sempre il potere di risvegliare le persone. Quando Damiano tirò le somme finali con la calcolatrice, non riusciva a credere ai suoi occhi. Erano 103.750 euro. Sapeva che sarebbe stato necessario un riconteggio delle buste, come alle elezioni, ma il risultato era oltre ogni aspettativa. La cosa che però l'emozionò di più fu il regalo di suo fratello.

Prima di ubriacarsi e disperarsi, in quello che sarebbe stato uno dei giorni peggiori della sua esistenza, Orlando gli aveva lasciato queste parole:

Non avrei mai pensato di scriverti una lettera, fratello mio.

Mentre ti scrivo, Daniela è qui accanto a me che finge di essere la mia fidanzata e tu sei di sotto che fai il simpatico con tutti ma parli solo con

Cosimo, che sarebbe stato sicuramente il fratello perfetto per te... infatti è da lui che ti sei fatto annodare la cravatta... invece come fratello ti sei beccato me, ma te la devi prendere anche un po' con mamma, però. A proposito: quanta paura ha oggi che la gente non apprezzi il suo buffet?... Che poi bastava che seguisse Benedetta Parodi e avrebbe fatto bingo...

Stai benissimo con quel vestito, lo sai? Anche la cravatta champagne! Già che ci sono, ti dico che avrei sempre voluto avere i tuoi ricci. Ora che ci penso magari mi hanno adottato, chi lo può dire, a casa nostra non ci si dice mai niente. Per questo oggi vorrei dirti che ti voglio bene, e scusami se non sono riuscito a dirtelo mai. Però te lo scrivo, e te lo voglio scrivere maiuscolo: TI VOGLIO BENE. *Mi dispiace di averti deluso dicendoti che sono gay, ma io sono così... sono sempre stato così. Avrei potuto farmi la permanente per provare ad assomigliarti. Ma tu mi avresti preferito in quel modo? Sarei stato solo un'imitazione.*

Scusami se sono scappato dopo che ci siamo fatti la foto con Daniela, ma mi hai fatto commuovere chiedendomela, anche se mi sarebbe piaciuto averla solo con te.

Tanti auguri, fratello. E ricorda che io per voi ci sarò sempre.

Orlando

Oltre alla lettera c'era un assegno da 4000 euro. Le lacrime rigavano il viso di Damiano e non riusciva a fermarle. Chiara lo vedeva ma non faceva nulla, per rispettare quel momento così intimo. Ogni amore deve avere almeno un segreto. Chiuse gli occhi e fece finta di dormire, fino a che non sentì suo marito andare a perdersi nel bagno barocco. Subito dopo si alzò e tornò a guardarsi allo specchio con indosso ancora quel vestito. Le venne voglia di chiamare sua madre per dirle quanto era orgogliosa di lei e contenta per quella giornata indimenticabile. Alla fine non lo fece, pensando che fosse ancora in balia delle chiacchiere degli zii.

Ninella invece si era chiusa in bagno perché aveva ricevuto una telefonata. Era don Mimì che non riusciva a dormire e aveva bisogno di rivederla.

41

Ninella rientrò in una cucina che non ne poteva più di chiacchiere, caffè e discorsi di zia Dora. I suoi commenti assordavano zio Modesto che non aveva le forze di fermarla. In linea di massima le era piaciuto tutto, ma ogni cosa avrebbe dovuto essere "un po' di più, un po' di meno": la cerimonia in chiesa "un po' più" veloce; gli addobbi floreali "un po' meno" pacchiani; l'auto degli sposi "un po' più" scura; la sala dell'aperitivo "un po' meno" affollata; le cugine "un po' più" eleganti; il pranzo "un po' più" light; la bomboniera "un po' meno"... "un po' meno"...

Zia Dora sulla bomboniera non riusciva a trovare la parola giusta. Guardava e riguardava il portagioielli e lo trovava semplicemente perfetto. In argento, satinato, raffinato, non grande, non piccolo, non banale. E sia i confetti sia la confezione erano di eleganza e pregio. Le iniziali incise a mano, né troppo grandi né troppo piccole. Evidenti ma discrete. La "D" di Damiano e la "C" di Chiara. Rilesse bene: D.C. Democrazia Cristiana. E fu lì che zia Dora riuscì a dire che avrebbero dovuto essere "un po' più attenti", perché è vero che la D.C. non c'era più, però sicuramente non era bello condizionare l'opinione politica delle signore.

«Che c'è Dora, non ti è piaciuta la bomboniera?»

«Ma scherzi, è bellissima. Mi ricorda quella di una signora di Castelfranco, di quando si è sposata sua figlia... ma non era così bella...»

«...»

«... anche se...»

«Anche se?»

«D.C., le iniziali... non ti ricordano la Democrazia Cristiana?»

«Dora, credo che tu sia stanca.»

«Uh, come sei permalosa, Ninella... mica ti ho detto che è una bomboniera sbagliata!»

Di fatto, glielo aveva detto. Se solo Ninella avesse saputo che la sua busta era vuota, l'avrebbe mangiata viva.

Nancy sentiva distrattamente quei discorsi e sua madre le sembrava una vecchia: lei non sarebbe mai diventata così. Suscettibile alle provocazioni, senza riuscire a distinguerne la gravità, mettendo sullo stesso piano un vestito e un invito, per poi perdonare in quattro e quattr'otto un fratello che ti ha rovinato l'esistenza. E lui che fa? Viene al matrimonio, si fa regalare le scarpe, se ne torna a casa con la signora di Locorotondo e ancora si dimentica la bomboniera. Sua madre aveva fatto male a perdonarlo.

Ma ogni volta che Nancy diventava troppo dura, significava che c'era qualcosa che non andava. E lei aveva sentito al telefono che Tony aveva ancora voglia di vederla, ma non come avrebbe sperato. A un certo punto si era stufata dei messaggi che erano tutte varianti di "Ti voglio ora" e l'aveva chiamato. Lui aveva prima messo giù e poi, dopo dodici minuti, l'aveva richiamata senza entrare nel merito del ritardo. Le aveva detto che, a sentirla cantare, gli erano venuti i brividi. Nancy non aveva risposto nulla per l'emozione e lui un po' se l'era presa. Fu l'unica volta in cui non si sentì sicuro di averla in pugno, e questo gli fece venire voglia di rivederla. Poi era una ragazza che rideva forte, e le ragazze che sanno ridere sono più brave a letto perché non chiudono mai gli occhi. Fu proprio durante una risata che Ninella entrò in camera dicendole: «Che c'hai da ridere?», e lei si era affrettata a mettere giù e a continuare la chiacchierata via sms:

"Scusa ma era quella vecchia di mia madre."

"Quanti anni ha?"

"50."

"Minchia. La mia 44. Come i gatti."

";-)"

"Sei libera domani o devi cantare in chiesa?"

"Tu sei il mio dio, quindi se vuoi canto per te."

Dopo averlo spedito si accorse di aver esagerato, e allora scrisse subito.

"Volevo dire: Tu sei il mio divo."

Si pentì di nuovo.

"Anche tu mi piaci molto e ho voglia di averti... mmm... scusa ma quasi finito credito a domani."

"Ok bacio."

Lui non le mandò più nulla e lei per un attimo pensò che se lei non avesse messo quell'"Ok" sarebbe stato un messaggio più bello. Nulla è più delicato del messaggio finale di una conversazione amorosa.

Ne sapeva qualcosa anche Ninella, in quel giorno che non voleva finire, come se avesse deciso di farle vivere la vita tutta insieme. Non riusciva a togliersi dalla testa don Mimì che l'aveva chiamata di nascosto. Le aveva detto poche parole. Più per amore che per timore. Perché l'amore a volte ha bisogno di pause lunghe e frasi brevi, come se si pronunciassero in salita. E l'unica cosa che Ninella aveva capito, e che le aveva messo addosso molta paura, era che don Mimì doveva rivederla. Aveva detto "dovere" e non "volere", e questo non le aveva lasciato scampo. «Devi dirmi di sì adesso, e domani ci vediamo.» E lei non aveva opposto resistenza.

«Sì» aveva sussurrato. E ora che avrebbe voluto solo ascoltare il mare spezzato dal maestrale, le toccavano i monologhi di zia Dora, che non le avrebbe mai perdonato le cugine di troppo al tavolo. Per distrarsi, pensò di affrontare subito la situazione, anche se era tardi, perché confidava di prendere sua cognata per sfinimento.

«Dora, lo so, è stato brutto assai dimenticarmi di quelle cugine... Uno cerca di programmare tutto in ogni dettaglio e poi ci si scorda sempre qualcuno.»

«...»

«O stai ancora offesa perché ho chiesto a mio fratello di portare Chiara all'altare?»

«No, hai fatto bene, che c'entra? È stata una scelta tua. Certo poteva stare un po' più attento in sala, quando gli hanno preso la scarpa.»

Di fronte a quei discorsi, Zio Modesto non ne poté più. "Basta", "bastaaa" gridava la sua testa. Ma non ce la faceva a dire nulla.

«Non parliamo più di quella scarpa per favore.»

«Hai ragione, tanto non era neanche quella con la fibbietta... Comunque ci sono rimasta male che non hai chiamato mio marito, Ninella. Soprattutto dopo che l'avevi già invitato. Ma capisco anche che tu volevi vendicarti per quello che avevi sofferto ai tuoi tempi... quindi non ce l'ho più con te.»

«Capisci però la mia scelta?»

«Sì, e ti ammiro assai. Io non avrei avuto il tuo coraggio.»

«Davvero possiamo chiuderla qui? *Non già fazz chiou* ma voglio andare a dormire tranquilla.»

Si abbracciarono senza più tenere conto dei loro capelli ormai allo sbaraglio, soprattutto i colpi di sole di Ninella. Sotto il lampadario della sua cucina sembravano veramente arancioni. Zio Modesto si disse: "Zitto che forse è finita". Ninella si volle però fare un'ultima sigaretta per cui si mise una giacca e uscì sul balconcino in tempesta. Si affacciò un attimo per sentire il mare, e si fece travolgere dalla salsedine notturna. Nelle sue orecchie, riecheggiava "*L'acqua Ninella mia nu l'hai menare*" che le aveva regalato la felicità.

Zia Dora stava seduta sul divano e la vedeva là fuori, temeraria e sola. La osservò per cercare di capirla. Chi è nato su uno scoglio lo sa: il mare ha sempre una risposta e una carezza per te. Anche lei intuì che qualcosa di bello era successo. Ma per quanto si sforzasse, zia Dora non riusciva a stare zitta per più di cinque minuti, per cui la invitò a rientrare. «Tanto il mare non si calma, se lo guardi» le disse, cercando di fare un po' la filosofa. Ninella diede un ultimo tiro e rientrò, sbuffando di nascosto.

Finirono di sistemare casa mentre zio Modesto dormiva sul divano e Nancy, facendo il minimo rumore, si masturbava nel letto per allenarsi ai piaceri del giorno dopo.

Zia Dora notò finalmente che non c'era più appeso il piatto che aveva portato dalla Côte d'Azur. Menton, Cannes, Nice, e Antibes erano scomparse lasciando un segno circolare sulla parete imbiancata. Ninella non ebbe il coraggio di confessare che l'aveva distrutto e che ci aveva messo due ore a raccogliere il mercurio. Le improvvisò che a Chiara piaceva così tanto che lo aveva voluto nella casa nuova.

Poi non se la sentì proprio più di affrontare la vita. Le augurò buonanotte e se ne andò in camera sperando, prima o poi, di dimenticarsi tutto.

DOMENICA

42

Il primo a svegliarsi, nella villa di San Vito, fu Orlando. Non sapeva nemmeno come ci era arrivato e il mal di testa per un attimo lo distrasse. Ma mentre si alzava dal letto, riconosceva la stanza dei suoi genitori e lentamente gli apparivano i ricordi di quello che era successo il giorno prima: l'immagine dell'Innominato in bagno, il verde fluorescente di Daniela, i bicchieri di troppo, gli occhi di suo padre, una pastiglia di Xanax e una fetta di torta che non andava né su né giù. Non aveva un'idea chiara della sequenza, ma ebbe la consapevolezza che era tutto vero. Chiamò ad alta voce Daniela, che non gli rispondeva. Provò di nuovo, ma senza forza, convinto che ormai l'avessero abbandonato tutti, e giustamente. Perché ormai le scenette della sera prima stavano riemergendo sempre più chiare, e a lui non sembrava possibile di aver detto certe cose.

Ma Orlando si era scordato che la villa era grande e Daniela aveva chiuso la porta della cucina per farlo riposare in pace. Aveva trovato sul tavolo mezza torta con cui il suo amico aveva accolto l'Innominato due giorni prima. Era ancora buona, per cui la mangiò con le mani, troppo pigra per mettere una fetta in un piattino. A vedere ciò che restava di quella storia, s'intenerì. Pensò che lei era molto più fortunata nella sua relazione, anche se viveva pur sempre una situazione clandestina. Lei poteva vedere la sua ragazza quando voleva, ci dormiva insieme, ci faceva la spesa. Semplicemente non poteva passeggiare mano nella mano per le vie del centro, non poteva farle una carezza al ristorante né rispondere alla zia che le chiedeva "quando ti sposi". Dettagli che la maggior parte delle coppie davano per scontati non lo erano per Daniela e Lilia. Così, in quell'inevitabile solidarietà che si scatena tra "chi è libero ma non è libero", Daniela non se la sentì di sgridare il suo amico quando comparve in slip e ciabatte, la faccia spaesata di chi pensava che sarebbe rimasto solo per sempre. Gli fece prima un sorriso e poi un caffè con le cialde, perché gli Scagliusi erano in fissa con le cialde in tutte le case.

E mentre lui provava a ricostruire le ultime ore alla Masseria San Nicola, Daniela fu brava a smorzare i toni, omettendo qualche particolare, arrivando a negare alcuni dettagli. Solo i veri amici sanno quando è il momento giusto per dirti la verità. Trovò addirittura il coraggio di ammettere che il discorso finale non era poi così male.

«Quindi dici che mio padre non ha capito bene?»

«Secondo me no, e sicuramente è stato bravo a fare finta di niente. Io però andrei a chiedergli scusa. Prima a lui e poi a tuo fratello, che non se lo merita.»

«Ho fatto una figura di merda.»

«È vero... ma sai che vita noiosa senza figure di merda?»

«Ma tu andavi a pensare che l'Innominato era un nostro cliente e me lo ritrovo al matrimonio?»

«La Puglia è grande, ma è come un paese. Se scavi un po', si conoscono tutti.»

«Dici che mi cercherà ancora?»

«Appena gli passa la paura, sì. La vera domanda è un'altra: che te ne fai di una storia così? E poi lasciatelo dire: è proprio brutto.»

Orlando non riuscì neanche a riderci sopra. Diede un sorso al caffè cercando una risposta, che non c'era. Il retrogusto all'amaretto gli piacque e per un attimo non pensò alle sue afflizioni amorose. Poi scosse la testa per darle ragione, sapendo benissimo che non appena fosse rimasto solo avrebbe provato a scrivergli un messaggio. In fondo due giorni prima gli aveva detto che voleva rivederlo, no? La festa di matrimonio sarebbe stata una parentesi facile da dimenticare. O forse avrebbe aiutato l'Innominato a capire definitivamente cosa voleva nella vita: stare con Orlando. Avrebbe lasciato la moglie, anche perché non adatta a lui, e dopo un po' di mesi avrebbero riso di quando don Mimì li aveva beccati nella toilette.

Daniela vide gli occhi del suo amico finalmente sereni, e pensò di prepararsi per tornare a Bari dalla sua Lilia. Era domenica e la domenica era il giorno in cui potevano stare finalmente un po' insieme: «Non fare altre cazzate, oggi, ti prego, che sono stanca» gli disse sulla porta. Lui annuiva facendo su e giù con la testa, e lei sapeva già che non la stava nemmeno ascoltando. Salì in camera e mise in una borsa il suo vestito che aveva attirato l'attenzione di tutti. Di colpo le parve troppo acceso, troppo colorato, troppo poco adatto a una festa di nozze. Purtroppo era tardi. Orlando ebbe l'accortezza di non esprimere commenti, anzi le disse che se si fosse mai sposato con una donna, sarebbe stato con lei. «E ci mancherebbe altro!» le rispose piccata stampandogli un bacio sulla guancia prima di scappare via.

Una doccia calda riportò Orlando alla realtà gettandolo nuovamente nello sconforto. Provò a chiamare suo fratello, ma era staccato. Chiamò Masseria San Nicola per farselo passare, ma non rispondeva al telefono.

Lui in realtà stava facendo l'amore. La prima notte di nozze avvenne così il mattino dopo, inattesa e sudata, lontana dall'eleganza tanto inseguita durante la festa. Finalmente rilassati, diedero il meglio di sé in un rapporto animale che li vide liberi e felici. L'idea di fare subito un bambino sbloccò Chiara dai pochi tabù che ancora aveva a letto, per la gioia di Damiano e soprattutto sua. Fecero con calma, come se fosse l'unica cosa importante del loro primo giorno insieme.

Di fatto, fu un nuovo inizio. Damiano in realtà avrebbe voluto chiedere ancora qualcosa su quell'abbraccio al fotografo, ma l'eccitazione gli fece completamente passare di mente la cosa. Il piacere negli occhi di Chiara fu il più bello dei regali di nozze.

Dopo l'orgasmo, restarono un po' appiccicati, consapevoli di essere una cosa sola. Damiano non ebbe la solita fretta di alzarsi e andare in bagno. Restò nel letto e quasi si addormentò, mentre lei lo accarezzava dicendogli: «Quanto sei bello».

Gustarono con calma la colazione che la masseria servì loro in camera insieme a un mazzo di rose e leccornie di ogni tipo. Damiano ne approfittò per chiedere al cameriere come mai non c'era la doccia nel bagno e il ragazzo andò nel pallone dicendo che se voleva poteva cambiare stanza.

Chiara e Damiano restarono lì a sbaciucchiarsi, fecero un altro po' di amore, riaprirono la cassaforte per vedere se tutto era vero e decisero di non riaccendere i telefoni. Li aspettava la loro casa nuova, e le valigie da preparare per la crociera. Alla reception trovarono un biglietto di Giancarlo Showman:

Cari ragazzi, so che siete ancora in camera ma io tra un po' devo animare una prima comunione a Ostuni... volevo dirvi che ho presentato tanti matrimoni, ma pochi mi resteranno impressi come la vostra festa. Da voi c'era la magia. E senza saperlo mi avete portato fortuna: il direttore di sala mi ha fatto i complimenti e mi ha confermato che faccio ancora parte del team! Non lo dimenticherò mai.

Giancarlo

P.S. Se avete parenti e amici che si sposano, o fanno comunioni, feste di laurea... ricordatevi di me!

Damiano piegò quel biglietto con un po' di emozione. Poi lasciò una mancia al direttore e ai camerieri, complimentandosi ancora per Giancarlo.

I due sposini lasciarono alle spalle quel posto senza voltarsi troppo. Solo Chiara aveva ceduto un momento per rivedere il castello che l'aveva vista regina: la torretta merlata la fece sorridere pensando a quel bagno enorme senza doccia, ma poi venne rapita dagli ulivi sempre di guardia, che restano lì a ricordarti che tutto passa tranne loro.

Sulla via del ritorno, Chiara si ricordò di essere ancora un'agente immobiliare, e cominciò a illustrare la zona al marito:

«Come vede, qui è molto verde e tranquillo. Guardi che belli quei mandorli... oggi peccato che c'è un po' di vento, altrimenti di questa stagione si può mangiare anche fuori.»

«Ma la casa ha il terrazzo?»

Damiano entrò subito nella parte.

«Certo, e si vede tutta Polignano. Infissi nuovi, parquet nelle camere, i bagni in marmo di Carrara, ovviamente con doccia... vicini tranquilli... è proprio un affare.»

«Ma si può trattare?»

«Qualcosina, ma non troppo. E soprattutto non si può trattare se ha fatto 103.000 euro alla sua festa di matrimonio... il proprietario sotto un tot non vuole scendere! Però bisogna muoversi perché l'hanno già vista i russi... e quando i russi vogliono qualcosa se la prendono senza troppi giri di parole. Pagano il doppio e via.»

Tornarono a Polignano come se fossero mancati da un mese. Guardavano tutto con occhi nuovi, anche i semafori. Appena varcarono il cancelletto della palazzina, Orlando era lì, come il protagonista infelice di un romanzo. A Damiano si strinse il cuore ma ebbe ancora un po' paura di darlo a vedere.

«Aspetta solo che porto su mia moglie, e poi torno da te.»

Ma Chiara aveva atteso con trepidazione il momento in cui sarebbe entrata in casa con suo marito, e se lo voleva godere fino in fondo. Sapeva quanto la questione fosse delicata, e non voleva intromettersi. Sua madre glielo aveva sempre detto: «Nel dubbio, fatti i cazzi tuoi».

«Facciamo così, Damiano. Io vado a vedere se mia madre e mia sorella si sono riprese e poi torno qui e mi fai entrare come mi merito.»

«Ti porto in macchina?»

«No, mi faccio volentieri quattro passi così mi rilasso un po'. Quando hai finito, mi vieni a prendere e mi fai entrare in casa come *Pretty Woman*. Che dici?»

«*Vabbù*... intanto io e Orlando ci andiamo a prendere una Coca-Cola al bar qui vicino. Tu mi raccomando non dare confidenza agli sconosciuti...»

«Non ti preoccupare, baderò a me stessa.»

«E occhio ai f...»

«...»

«F...»

«...»

«F...»

«...»

«Fotografi.»

Su quella stoccata si guardarono, ma Chiara non ebbe più paura di affrontarlo. Abbracciò Orlando più forte di come avrebbe voluto, ma era ancora un po' goffa nei saluti. Lo ringraziò per la busta da 4000 euro dicendogli solo: «Non dovevi». Non aggiunse che suo fratello aveva pianto leggendo quella lettera, né che lei non aveva avuto il coraggio di aprirla. Poi sparì in mezzo al traffico verso quelle antiche case che sentiva già parte del suo passato.

43

Polignano luccicava di bellezza, incorniciata da un cielo purissimo. Chiara camminava velocemente, cercando di evitare gli sguardi dei passanti, che l'avevano già individuata, dando l'avvio a una gara di congetture. Lei intuiva tutto e non badava a niente, euforica e leggera nelle sue scarpe finalmente basse. Ma sapeva che se suo marito non si fosse chiarito con Orlando, il loro viaggio di nozze avrebbe avuto un retrogusto amaro. In realtà, stava tornando a casa per rivedere sua madre. Al matrimonio non si erano realmente parlate – solo osservate da lontano – ma Chiara sentiva la necessità di incontrarla per avere conferma che qualcosa fosse cambiato. In fondo era ancora un po' confusa su tutto.

Mentre guardava continuamente come le stava la fede al dito, le suonò il telefono.

«Mariangela, sei viva?»

«Ehhhhh... ciao amica mia. Dove stai?»

«Io a Polignano... tu piuttosto dove stai?»

«A Bari.»

«E che ci fai a Bari?»

«Eh... alla fine Pascal mi ha convinto e sono qui da lui... ci siamo svegliati da cinque minuti e tu sei stata il mio primo pensiero...»

«Ma come, appena l'hai conosciuto?»

«Non è colpa mia se il tuo bouquet ha fatto subito effetto.»

«E avete già...?»

«Ma Chiara, che domande mi fai... aspetta che Pascal è qui e ti vuole salutare pure lui.»

Chiara non riusciva a credere che potesse essere vero.

«Allora, sei ancora bella come ti ho lasciato io ieri?»

«No, oggi sono uno schifo, Pascal... devi tornare subito! Comunque io non sarò mai più bella come ieri nella mia vita...»

«Purtroppo è la verità.»

«Ma ti sembra una cosa da dire a una ragazza di venticinque anni?»

«Sai che io dico sempre quello che penso. Comunque vedremo di fare in modo di avvicinarci a quel livello, va bene?»

«Mi fido di te.»

«La tua amica qui ti saluta e mi fa segno che ti chiama dopo così vi raccontate... ora ha appena fatto il caffè...»

«*Vabbù*, mi raccomando trattamela bene.»

«Io tratto sempre tutti bene.»

Mise giù con una risatina che la fece più preoccupare che tranquillizzare, ma in fondo era contenta per Mariangela. L'unica a cui un giorno avrebbe raccontato di Vito Photographer.

Passò sotto l'arco ed entrò nel centro storico dove non avrebbe più abitato. Fece il giro largo dalla chiesa del Purgatorio per rivedere i vicoli del suo album di nozze. Le si strinse il cuore a osservare quelle case così vicine le une alle altre, i bucati stesi ad asciugare alle finestre. Spuntò in piazza dell'Orologio e si trovò di fronte la chiesa Matrice, che il giorno prima l'aveva vista trionfare. «Viva la sposa» le dicevano ancora i negozianti, «viva la sposa senza marito!» le ribadivano altri tanto per farglielo notare. Lei sorrideva e tirava dritto, fino al vicolo in fondo al quale sarebbe ricomparsa la sua casa. Quello scoglio cui si era aggrappata senza sapere quanto sarebbe stato importante per lei. La signora Labbate era alla finestra, ma anziché nascondersi la salutò con la mano dicendole: «Quanto eri bella ieri... mamma mia, bellissima», e lei pensò come mai non se le erano dette prima queste parole. La ringraziò ancora per le scarpe dello zio e suonò a quella porta anche se aveva ancora le chiavi. Sentiva che non era più casa sua. Trovò sua madre e Nancy sole, in cucina, che stavano ancora facendo colazione. Sembrava che avessero appena finito di ridere, e forse era così. Nancy aveva evidentemente deciso di sospendere la dieta perché stava mangiando un plumcake. Ninella aveva ancora la vestaglia e un'aria un po' stralunata. Forse era solo stanca. Sul tavolo gli avanzi di zia Dora e zio Modesto, che erano ripartiti per Castelfranco, non senza versare qualche lacrima e molte parole.

Chiara evitò di dire che la loro busta era vuota, perché conosceva sua madre e sarebbe iniziato un discorso di due ore che non le avrebbe portate a niente, e lei doveva tornare da Damiano. Quando confessò che avevano fatto più di centomila euro, Ninella si toccò la fronte esterrefatta come se quei soldi li avesse vinti alla lotteria. Mai si sarebbe immaginata una cifra del genere.

Nancy era presente solo con il corpo, che dopo il plumcake nutriva con biscotti e paste di mandorla, perché la testa era da Tony, che nel pomeriggio le avrebbe fatto vedere il trullo del nonno. Sarebbe stata la sua ultima mattina da vergine per cui non riusciva a fare altro che sorridere e mangiare e telefonare a Carmelina. A un certo punto chiese a sua madre e sua sorella di sedersi sul divano, spingendole quasi a forza. Le due obbedirono senza protestare, sorprese dal tono della piccola di casa. Corse in camera a cambiarsi alla velocità della luce – sapeva che Madonna in tour lo faceva in 45 secondi – e poco dopo apparve dalle scale intonando *Yes Jesus Loves Me*. Non sbagliò una parola e si lasciò prendere dai virtuosismi, tanto era lanciata, per cui le vocali durarono molto più del previsto. Sugli "Yeah" finali partì un applauso che coprì addirittura il rumore del mare. Nancy ringraziò con un inchino, scusandosi ancora per il flop del giorno prima. Ma Ninella le disse: «Per nulla al mondo cambierei questa interpretazione con quella che hai fatto in chiesa... perché oggi hai cantato con la voce, e ieri solo col cuore. E ci siamo commossi tutti».

Nancy l'aveva abbracciata ed era scappata in camera. E anche se continuava a immaginare i cartelloni "Nancy Casarano Show Today!", a lei sarebbe bastato avere sua madre in prima fila.

Rimaste sole, Chiara e Ninella non sapevano da che parte cominciare, e allora iniziarono a liberare la tavola dai piatti, mentre Nancy aveva alzato lo stereo a tutto volume. In realtà, volevano solo stare vicine. Non si misero neanche a commentare la festa, perché andava fatta decantare prima di una valutazione più attenta, così dicevano. Affrontarono solo il problema delle cugine rimaste in piedi e Ninella dovette ammettere che la colpa era sua. Per il resto, non si dissero molto, come se cercassero di capire come sarebbe stata la loro vita se avessero avuto un rapporto diverso. Ma per quanto Chiara si sforzasse di resistere, a un certo punto cedette alla curiosità.

«È stato bello vederti ballare con mio suocero, ieri.»

«...»

«Non ti imbarazzare, mamma, dai.»

«Si notava che ero contenta?»

«Io che ti conosco, sì.»

«*Ma tou non me canusc.*»

«È vero, ma ora qualcosa mi è più chiaro. E anche se non sei stata fortunata nella vita, è stato bello quello che è successo ieri...»

«Ma io sono stata fortunata: ho avuto due figlie come voi che mi hanno reso orgogliosa.»

«Allora lo vedi che in fondo sei una buona madre?»

Ninella la guardava e provava a sorridere, come se fosse timida, e mise su la moka per un altro caffè. Chiara si sedette e si sentì per la prima volta ospite nella sua casa. Rimasero lì senza fretta né ansia, davanti a tazzine che quasi non toccarono. Due giocatori di scacchi alle ultime battute, che alla fine devono comunque rischiare.

«Con papà non sei mai stata bene?»

«Perché lo vuoi sapere?»

«Magari mi può servire un domani quando sarò nella tua stessa situazione...»

«...»

«...»

«C'è stato un periodo in cui sono stata meglio... quando siete nate voi. Lui era così contento che bastava per tutti... vi avrebbe pure allattato se avesse potuto. Ma il mio problema è che mi ero impuntata con l'amore vero. Quando in amore si cerca la perfezione, si trova la solitudine.»

«Ma perché è finito tutto? Solo perché hanno arrestato lo zio?»

«Se Mimì mi avesse voluta veramente, si sarebbe messo contro la sua famiglia. Altri di Polignano l'hanno fatto: sono partiti e hanno ricominciato da un'altra parte. Evidentemente non mi amava abbastanza.»

«O forse era troppo giovane.»

«Forse. Ma non è più importante...»

«Sei sicura?»

«No.»

Ninella fece appello al suo coraggio per rispondere, anche se avrebbe preferito confidarsi più con un'amica che con sua figlia. Ma non aveva amiche e sentiva il bisogno di parlarne con qualcuno. E poi era di fretta. Aveva appena guardato l'ora, e si stava avvicinando l'appuntamento col destino. Per questo cercò di accelerare la discussione e iniziò a mettere le tazzine nel lavandino anche se Chiara aveva appena iniziato.

Don Mimì le aveva detto che voleva vederla alla discesa di cala Paura: il punto da cui tutto era finito – lì avevano arrestato zio Franco – doveva essere il luogo della rinascita.

Ninella guardò Chiara e sentì la necessità di dirle ancora qualcosa, perché non osava mandarla via.

«E Damiano dove sta?»

«Sta a casa che si deve chiarire con suo fratello, sai per la scena di ieri...»

«Che scena? Che io mica ho capito bene con tutte queste versioni.»

«Quando ha detto che quelli come lui non si possono sposare e quindi tutti hanno pensato...»

«Che è gay? Ma che è gay *u sapcvan tutt* a Polignano, dai. Si capiva benissimo che quella Daniela era una copertura, ma hai visto com'erano rigidi quando stavano vicini... e poi lasciamo perdere com'era vestita... io l'avevo capito subito. Comunque ha fatto bene a presentarsi con lei, perché la gente ha sempre bisogno che gli racconti che va tutto bene... E poi lui l'ha fatto per Matilde, ne sono sicura. Quella secondo me stanotte non ci ha dormito, e si è rovinata la festa.»

«È più facile che gliel'hai rovinata tu quando vi siete messi a ballare.»

«Dici che se *n'avà accorgiout*?»

«Mamma, se ne sono accorti tutti. Ma era bello così.»

Ninella si riempì il petto di un misto di orgoglio e vanità, ma si sentì in dovere di sdrammatizzare.

«Tanto un matrimonio te lo rovinano solo le bomboniere.»

«Ma le nostre, no, vero?»

«Scherzi? Neanche zia Dora è riuscita a dire niente... se sono piaciute pure a lei, è fatta.»

Risero, finalmente libere.

«Forse però è meglio se torni a casa, che il primo giorno da sposina non è che puoi lasciare tuo marito da solo. E dai retta a me: tienitelo stretto Damiano, non rompergli troppo le palle. E anche se non uscite, *aggiustat*: *fatt bell*! Non ti mettere mai le pantofole a forma di animale, mi raccomando! Mai, piuttosto stai scalza. Perché un uomo s'innamora subito, ma si scorda pure subito. Pure se è la moglie. *E capeit?*»

E mentre lo diceva quasi la spinse via, tanto sentiva l'ansia impossessarsi dei suoi respiri. Chiara corse prima a dare un bacio a sua sorella, poi salutò Ninella come se fosse un giorno qualsiasi. Sua madre non riuscì per l'ennesima volta a dirle quanto era fiera di lei. Chiara lo intuì, e le volle più bene per questo. Quando la porta si chiuse, si voltò ancora una volta a riguardare la casa. Dietro di lei, sullo sfondo, il mare. Le mandò un bacio con la mano, che la signora Labbate non avrebbe mai raccontato a nessuno.

44

I due fratelli bevevano Coca-Cola sulle scale di quella nuova palazzina, come quando restavano chiusi fuori dal "Petruzzelli".

Orlando non aveva voluto infrangere la tradizione e varcare la soglia prima della sposa, così Damiano era andato al bar a prendere due lattine e aveva convinto suo fratello a parlare sul pianerottolo, abbellito da piante ancora avvolte nel cellophane.

Volevano tornare piccoli tutti e due. Ognuno si sentiva in colpa nei confronti dell'altro, anche se Damiano un po' di più, soprattutto dopo aver letto la lettera. Cominciò però suo fratello a parlare. Riuscì a non piangere solo perché non aveva perso le speranze che l'Innominato lo cercasse di nuovo.

«Sai, Damiano, non volevo rovinarti la festa. Ero solo disperato e non sapevo che fare.»

«E io, anziché aiutarti, mi preoccupavo solo che quell'uomo fosse un nostro cliente... ed è pure sposato.»

«Un po' ti sei vergognato di me, di' la verità.»

«...»

«Non c'è niente di male, dimmelo.»

«Forse.»

«Hai fatto bene, perché anch'io mi sono vergognato di me. Ero tanto ubriaco?»

«Un po'. Pensi che lo rivedrai?»

«Tu che dici?»

«Non dico nulla tanto non mi ascolterai. Certe decisioni si prendono da soli... io cercherei di scordarmelo, ma non perché è sposato... perché è proprio brutto! E non c'entra niente con te, lo dico seriamente.»

Si guardarono entrambi sorpresi dalle cose che si stavano dicendo.

«Lo so benissimo che è brutto, ma che ci posso fare? A me piace assai. Però mi spiace averti fatto fare una figura così di merda. Ma quando ho preso in mano il microfono ho visto il baratro. Tu eri felice, tutti si divertivano e io ero solo con il mio dolore.»

«È anche grazie a te se ieri ero così felice. Se tu non mi avessi beccato con Alessia, se io non mi fossi sentito così in colpa... non sarei stato cosciente del passo che stavo facendo. Invece ho capito che non posso lasciarmi scappare una come Chiara... ci devo almeno provare. E prima del finale, però, il tuo discorso era molto bello. Quasi come la lettera che mi hai scritto.»

«...»

«Vieni qui adesso.»

«Dove?»

«Qui accanto a me, altrimenti non ci stiamo... ecco così.»

Tirò fuori il telefonino e si fecero il loro primo autoscatto. Nessuno dei due rideva, perché erano troppo contenti.

«Però Damiano devi dirmi come ha reagito papà dopo che ho parlato... perché poi Daniela mi ha portato via.»

«Secondo me non ti ascoltava. Aveva la testa da un'altra parte.»

«E la gente che ha detto?»

«Avranno spettegolato un po', ma lo avrebbero fatto comunque. Credo che sarebbe stato peggio se avessimo sbagliato il tempura rivisitato, come direbbe Chiara...»

Orlando rise di gusto. Una risata liberatoria, più nervosa che sincera, perché era ancora dispiaciuto con se stesso per quello che era successo. Damiano lo guardava e avrebbe voluto dirgli ancora altre cose, ma non gli venne in mente nulla, a parte: "Come mai a tutti e due piacciono i programmi di cucina?". Però non glielo chiese. Fu bravo a convincerlo a fare un salto a casa dei genitori. Almeno avrebbe chiarito la situazione, soprattutto con suo padre.

Orlando salì in macchina, sistemò meglio lo specchietto, lo guardò e gli disse: «Grazie fratello». Poi diede una sgommata facendogli ciao dal finestrino, accelerando per darsi coraggio. Parcheggiò davanti alla "Scagliusi House", che aveva ancora il tappeto rosso sul marciapiede, anche se pieno di pedate. Di colpo aveva meno paura di quanto immaginasse, solo la bocca un po' arsa. Aprì il portoncino, chiamò l'ascensore, inserì il codice e in un attimo fu al primo piano del "Petruzzelli". Quando vide il modo in cui l'accolse sua madre, capì che il significato di "per quelli come me" era stato colto in senso corretto.

«Forse è bene che io parli con papà.»

«È di là in salone... mi ha detto che tra un po' vuole andare in azienda.»

«Quindi dici che è un momento buono per parlargli?»

«Non è mai un momento buono, ma con lui ho smesso di farmi domande. Ma adesso vai, che quello è capace di uscire tra cinque minuti.»

«Di umore com'è?»

«Tu vai subito che è meglio.»

«Vuoi esserci anche tu?»

«Meglio di no. Vorrei friggere un po' di polpette. Avevo comprato un sacco di macinata ed è peccato buttarla. Ti fermi a mangiare qui?»

«Prima è meglio se parlo con lui.»

La First Lady quasi lo spinse nella sala degli specchi. Orlando bussò per far capire che c'era qualcuno. Trovò suo padre in poltrona che guardava il televisore spento.

«Ah, sei tu. Meno male. Tua madre in questi giorni è un po' pesante.»

«Sarà nervosa.»

«Siamo stati tutti un po' nervosi... anche tu, mi è sembrato.»

«Papà volevo spiegarti... ieri...»

«Prima chiudi la porta e poi parli.»

Orlando andò a chiudere la porta sapendo che poteva succedere di tutto, ma non aveva più paura. Si sedette sul divano di fianco a lui, a due passi dal tavolino con le foto della comunione di lui e suo fratello.

«Non so bene che cazzo hai detto, ieri, quando hai fatto il discorso in sala davanti a tutti... prima della torta. Sarà stato sicuramente qualcosa di scandaloso... dalle facce che ho visto, anche se poi tutti facevano finta di niente. Io non ho sentito bene che *pensev* ad altro, ma ci tenevo a dirti questo.»

«Dimmi papà.»

«Io è da tanto che so di te e le cose che fai con gli uomini. Molto prima di beccarti chiuso nel cesso con Antonino...»

«...»

«... e non mi guardare così, non sono un mago. Ho le mie strade per sapere quello che mi interessa.»

«...»

«Comunque ho apprezzato che ti sei presentato con la ragazza ieri. Non so chi ti ha creduto, anche perché era vestita in modo un po' troppo vistoso e c'era qualcosa di strano. Poi a uno diceva che era astemia, all'altro diceva che gli avevi offerto il gin tonic. La gente mica è scema, è un attimo e fanno due più due. A ogni modo, a me non me ne *fec(e) null*. Però Antonino lo conosco, quello è un vigliacco. La moglie sai quante corna tiene? E tu ti dovresti confondere con uno così?»

«...»

«...»

«Ma papà io non mi aspettavo che tu...»

«Infatti non devi pensare che sono tollerante. Sono solo più disperato di te. Perché per dar retta ai miei genitori, per parargli il culo... ho dovuto rinunciare a una ragazza che anche se avessi girato il mondo non ne avrei trovata un'altra. Poi nella vita ci si abitua a tutto, per carità... e ci si dimentica tutto. Ma ci sarà sempre un momento in cui dovrai vedertela con te stesso e non potrai più svignartela. Per questo ho ammirato il tuo coraggio di chiuderti prima in un cesso e poi andare a dire al microfono che quelli come te non si possono sposare.»

«Quindi hai saputo...»

«Ricordati che io so sempre tutto. Ma vorrei sapere se questa tua scelta di vita... questa omosessualità... sia dipesa anche da me.»

Orlando era sorpreso, più che commosso. Era la prima volta che quella parola veniva pronunciata a casa loro. Sotto una scorza piuttosto aspra, suo padre nascondeva un uomo che aveva conosciuto la vita, e l'amore, senza riuscire a farne tesoro. Un uomo che lui aveva creduto di depistare per anni con la menzogna, e che invece l'aveva sgamato. E non lo giudicava, almeno in apparenza. Ogni tanto distoglieva gli occhi dal televisore spento e lo guardava.

«Papà, tu non c'entri... me lo sono chiesto a lungo anch'io, perché sono così.»

«E che cosa ti sei risposto?»

«Che in fondo sono fortunato. Perché almeno ci ho provato a essere quello che sono. C'è gente che non ce la fa.»

«Uno di questi ce l'hai davanti. Perché non me l'hai detto prima?»

«Per non deluderti, papà.»

«...»

«Quindi accetti le mie scuse?»

«Tu sei mio figlio, Orlando. Con i figli non serve chiedersi scusa.»

Lo ringraziò, ma non riuscì né ad abbracciarlo, né ad aggiungere altro. Gli sorrise però, e suo padre contraccambiò accarezzandosi i baffi per sentire che erano ancora lì. Poi diede un'occhiata all'orologio e capì di doversi dare una mossa. Ninella lo aspettava a Cala Paura. Prese suo figlio per le spalle e aggiunse solo: «Ricordati che alla fine c'è un conto per tutti. E più amore dai, meno dovrai pagare alla fine».

Prima di uscire, andò in cucina a salutare Matilde, che stava già impastando la macinata come se fosse una domenica qualunque.

«Vado in campagna e torno tra un po'.»

«Mi raccomando, Mimì, che ci sono le polpette.»

«Se non arrivo, però, inizia a mangiare.»

Poi le si avvicinò e le stampò un bacio. Dovette sforzarsi di farlo, ma sapeva di avere molto da farsi perdonare. Lei, pur essendo arrabbiata, lo accettò perché non aveva alternative. Si rimise subito a impastare per l'imbarazzo.

45

«Sono troppo pesante?»
«Piantala.»
«Si vede che stai facendo fatica...»
«È solo l'età. Adesso però chiudi gli occhi, Chiara.»

E dopo poco, con un movimento un po' brusco, Damiano riuscì a spalancare la porta e a portare la sposa dentro casa. La luce investiva un soggiorno dominato dalle rose che Damiano aveva fatto arrivare. Ci teneva che sua moglie fosse accolta come una star, e alle star si fanno sempre trovare le rose. Lei guardò quella casa profumata e la sentì più sua di quanto non l'avesse sentita mentre l'arredavano. Entrò in camera per vedere se Cosimo era riuscito a intrufolarsi per fare quegli scherzi cretini, ma era come l'aveva lasciata. Damiano la raggiunse e la spinse sul letto, tanto per rompere il ghiaccio. Sembravano ai primi passi di una storia.

«Allora mi posso fidare di te?»
«Solo se lo posso fare anch'io.»
«Certo che puoi. Quindi posso stare tranquillo su quell'abbraccio col fotografo, ieri.»
«Voleva solo invitarci al suo matrimonio.»
«Sicura?»
«Sicura.»
«Bene.»

«E tu mi confermi che quel capello era dell'amica di tuo fratello, vero?»

Disse di sì con la testa senza abbassare lo sguardo, ma senza dirlo a voce. Il silenzio che seguì corrispose a un perdono reciproco. Lui le accarezzava la faccia con un dito tratteggiandole il profilo. Lei gli toccava i capelli ed era sempre più innamorata dei suoi denti.

Tutti e due sapevano che qualcosa era successo, e lo dimenticarono. Ma da quel giorno, e per molti che avrebbero condiviso, né Damiano né Chiara si sarebbero più fidati totalmente l'uno dell'altra. A turno, spiandosi da lontano, si sarebbero tenuti d'occhio, senza mai più darsi per scontati.

Il materasso troppo rigido reggeva i loro corpi immobili, e ancora stanchi, che continuavano a guardarsi. Avevano troppe ore di sonno arretrato.

«Che dici, ci cuciniamo qualcosa o andiamo a pranzare fuori?»

«Ma tu hai ancora fame, Chiara?»

«Guarda che al mio pranzo di matrimonio ho mangiato pochissimo...»

«Hai fatto male. Sempre a dare retta a Pascal.»

«Taci che forse sta iniziando una storiella con Mariangela...»

«Mariangela??? Hai capito il truccatore... zitto zitto.»

«Dai, lasciali stare! Allora mangiamo che sto morendo? In frigo c'è giusto qualche cosa che ci ha regalato mia madre. Santa Ninella.»

«Tua madre è forte, sai? Ieri era tutta lanciata...»

«Anche tuo padre era tutto lanciato.»

Fu l'unico modo in cui riuscirono ad affrontare l'argomento. Quella mattina strinsero una sorta di patto in cui quel segreto, e quel ballo, non sarebbero stati più nominati.

«Che ne dici di mettere in pratica una di quelle ricette che vedi in tv?»

«Ma sono un disastro...»

«Non ci hai mai provato, è diverso.»

«Ma amore dobbiamo fare le valigie... abbiamo la crociera... forse è meglio se andiamo a mangiare fuori, ti porto da *A mère 'ndu paèise*.»

«Piantala. Vatti a lavare le mani e cominciamo. Qual è il giorno migliore se non oggi?»

E così, mentre si sentivano i rintocchi delle campane, Damiano si ritrovò per la prima volta a sminuzzare cipolle, tagliare pomodori e girare il sugo con un cucchiaio di legno. Non erano gli ingredienti ideali per un sugo televisivo, ma erano le quattro cose che avevano in cucina. Chiara lo guardava come se lo avesse appena conosciuto, mentre apriva un pacco di taralli. Ora che si era sposata sarebbe stata disposta a vivere solo di quelli. Era allibita nel vedere la lentezza di Damiano mentre univa gli ingredienti e girava il sugo. Eppure non lo prese in giro, anzi lo incoraggiò, delegando a lui il sale e il pepe e ancora un pizzico di peperoncino. Lui obbediva e si chiedeva perché non si fosse sposato prima. E mentre mescolava cercava di distrarre Chiara baciandola, o fissandola come un pesce mentre lei gli spiegava la cottura della pasta secondo Ninella, sempre un minuto dopo quanto c'era scritto sulla confezione.

Mangiarono penne alla cipolla, più che al pomodoro, e bevvero Peroni. Ma lo fecero su piatti di Limoges regalati da una sorella della First Lady.

In casa non avevano altro, ma a loro sembrò più bello del loro pranzo di nozze. Davanti a sé Chiara non vedeva più il mare della sua vecchia casa, ma una persona nuova: perché questo era diventato Damiano in due giorni. Mentre lui l'aiutava a sparecchiare, cercando di ricordarsi i gesti di sua madre, si chiese perché non l'aveva mai vista contenta ai fornelli, se non per gli stessi piatti pieni di olio e privi di cuore. Nessuno degli Scagliusi se n'era mai lamentato, accettando quei menu senza fantasia come un momento di sobrietà necessario.

Se solo Damiano avesse visto Matilde in quel momento, sarebbe stato molto meno severo con lei. Una donna preoccupata, che cerca con i pochi mezzi che ha di riconquistare quel marito che non aveva mai dato per scontato. Perché lei, dopo quasi trent'anni, non aveva ancora abbassato la guardia, cercando di fare tutto giusto. Ma in amore fare tutto giusto è controproducente. Meglio sparire, a volte, o essere sfuggenti. Lei aveva paura di sbagliare, o di perdere, così si limitava a fare i compiti, col rischio di passare inosservata.

Anche quella domenica fece così. La tavola era apparecchiata per due, due soltanto, e nessuna certezza che don Mimì sarebbe rientrato. Sapeva benissimo che stava per rivedere Ninella. Lo sapeva perché lo conosceva. Lo sapeva perché ci sono destini che sono più grandi di te. Ma non era riuscita a opporsi. Si era rinchiusa nella sua unica certezza: le polpette. Aveva per la prima volta provato a cambiare l'impasto, aggiungendo un po' di noce moscata, come aveva sentito in uno di quei programmi che tenevano i suoi figli incollati al televisore. Nella macinata ci era finita anche qualche lacrima. A poco le erano servite le telefonate di congratulazioni per il vestito, il lampadario Swarovski e le iniziali sulle bomboniere.

L'unica cosa che avrebbe voluto sentire erano le porte dell'ascensore che si aprivano per restituirle suo marito. Le chiavi appoggiate sul mobile. Quello sguardo serio che si affaccia in cucina e dice: "Sono tornato". Ma quell'ascensore si muoveva pochissime volte al giorno per cui non poteva neanche illuderla. Il tempo sembrava non passare, mentre friggeva polpette chiedendosi dove avesse sbagliato.

46

Il maestrale stava iniziando a deporre le armi. Come il pescatore aveva detto a don Mimì, il terzo giorno se ne sarebbe andato.

Le sue folate si erano addolcite e le onde del mare facevano meno rumore. Ninella aveva lasciato casa senza sapere se sarebbe tornata. La sua amata chiesa le sembrava l'ultimo luogo in cui sarebbe voluta stare: c'era la messa della domenica, e per una volta don Mimì non ci era andato. Quando Matilde gli aveva detto di iniziare a prepararsi, lui le aveva risposto: «Ma quella di ieri era già una messa, quindi direi che abbiamo già dato per questa settimana», e a lei erano mancate le parole.

Anche Ninella era senza parole di fronte al suo armadio, mentre sceglieva il vestito da indossare. Per l'appuntamento a Cala Paura voleva qualcosa di speciale. Non aveva mai avuto dubbi quando si vestiva, anche se era di corsa. Conosceva il suo corpo e si cuciva gli abiti in modo che ne valorizzassero i punti forti – il décolleté – senza farla mai sembrare volgare. Ma quella volta non voleva un vestito che le stesse bene. Voleva il più bello. E dopo qualche tentennamento non ebbe alcun dubbio: un abito leggero pieno di fiori, che si era cucita sapendo che un giorno sarebbe stata pronta per metterlo. Era tardissimo e si dovette preparare in fretta, ma questo la salvò dall'agitazione. A costo di arrivare in ritardo, non dimenticò di truccarsi. Scelse ombretti in tinta col vestito e si cosparse d'ambra, perché le dava sicurezza. Lucidò appena le sue labbra carnose e indossò di nuovo la collana di coralli. Uscì di casa con la convinzione che nessuna delle sue compaesane le avrebbe rallentato il passo. Alcune, per fortuna, erano a messa o a cucinare. Altre avevano nei suoi confronti una sorta di timore. La signora Labbate, pur essendo in casa, non si affacciò anche se aveva sentito la porta aprirsi.

I pochi che Ninella incontrò erano turisti spaesati dalla bellezza di quei vicoli. Lei guardava un po' le righe delle chianche, un po' davanti a sé, come se sperasse di incontrare qualcuno che potesse ammirare i suoi fiori. Solo la signora Centrone la fermò per sapere com'era andata a finire con Orlando dopo il discorso in sala, ma Ninella la liquidò dicendo che a casa lo avevano addirittura festeggiato. Passò davanti alla statua di Modugno e si emozionò a vedere altre coppie di sposi che si facevano immortalare sugli scogli, anche se nessuna era bella come Chiara. L'abbazia di San Vito, sullo sfondo, le diede l'ultima spinta. Rivedere don Mimì era un sogno che non avrebbe mai pensato si potesse avverare.

Per un attimo, pensò a come avrebbe reagito se alla fine non si fosse presentato, ma quel cielo la incoraggiava a sperare. Quando arrivò al fondo della discesa, lo vide. Non era mai stato così bello. I capelli ben pettinati, i baffi rifiniti alla perfezione, un giaccone verde che lo faceva sembrare un generale dell'esercito. Appoggiato sul cofano della macchina, le braccia conserte, la sicurezza di chi si sta giocando tutto e non ha più paura.

Ninella si guardò intorno in cerca di testimoni, nella speranza – per una volta – che qualcuno la vedesse. Don Mimì era di nuovo lì ed era lì per lei. Intorno però non c'era anima viva. Un sole limpido e tiepido, un vento leggero, l'aria che profumava di primavera. Lui le aprì la portiera senza neanche salutarla, come se fosse stata Ninella la contrabbandiera. L'aiutò a sistemare il vestito – le sfiorò le gambe – poi tirò su i finestrini di quella berlina ancora nuova e ingranò la prima.

Nessuno dei due diceva nulla, mentre Sergio Endrigo cantava canzoni d'amore. La musica parlava per loro, fino a che don Mimì decise di rompere quel silenzio che avrebbe fatto durare per sempre.

«Allora, come stai?»

«Sono confusa.»

«Io invece sono contento. Non avrei pensato di provare ancora tante emozioni in così poco tempo.»

«...»

«Che c'è?»

«Sto un po' nervosa.»

«Anch'io sto nervoso, Ninella. Ma solo perché in fondo sto bene.»

«Dove mi stai portando?»

«Dove vorresti andare?»

«In un posto dove possiamo parlare.»

Lui tolse gli occhi dalla strada e la guardò da vecchio seduttore. Sapeva benissimo di piacere, e con Ninella giocò tutte le sue carte, perché la voleva e sapeva che non sarebbe stato facile. Anche se aveva accettato il suo invito, non era detto che accettasse un suo bacio. E desiderava almeno quello.

Lei avrebbe voluto che la sua vita fosse sempre così: seduta al fianco di un uomo che accelera in curva senza perdere mai il controllo dell'auto. Don Mimì riprese la strada per Conversano per tornare ai suoi campi di patate. I ciliegi erano in fiore e questo dava un tocco di allegria al paesaggio. Guidava con l'euforia di un giovane che vuole impressionare la bella di turno. Perché Ninella, per lui, era anche questo. La donna più bella di Polignano. La prova dell'incapacità di opporsi alla sua famiglia. Non era una questione di altri tempi, ma di coraggio. L'unica cosa che però desiderava, in quel momento, era stare vicino a lei. Parcheggiò sotto il solito ulivo, spense il motore, alzò il volume. E si ritrovarono insieme dentro la stessa canzone.

C'è gente che ha avuto mille cose,
tutto il bene, tutto il male del mondo.
Io ho avuto solo te...

Voleva baciarla ma non riusciva nemmeno a guardarla. Aveva la testa fissa sui campi, mentre la sua mano destra la cercava. Si sfiorarono sul cambio, e lì si strinsero. Forte. Fortissimo.

... e non ti perderò,
non ti lascerò
per cercare nuove avventure.

Continuavano a non trovare la forza di guardarsi, e allora chiusero gli occhi, perché prima dovevano dirsi ciò che non si erano mai confessati.

Io che amo solo te.

Avevano di nuovo vent'anni. Non esistevano più i chili di troppo, le capsule in bocca, i muscoli meno tonici, le prime macchie sulla pelle. Senza mai aprire gli occhi, don Mimì prese il viso di Ninella con le mani e lo avvicinò al suo.

Dal loro ultimo bacio erano passati quattro figli. Le loro bocche erano sempre le stesse ma loro non se le ricordavano più. Il tempo fa dimenticare anche il sapore dei baci. Nessuno dei due si sentiva in colpa, nessuno dei due sembrava avere fretta. Avevano sognato tanto e il vero sogno va vissuto lentamente, come le immagini rallentate dei campioni al traguardo.

A don Mimì stava salendo l'eccitazione, ma non voleva che quella magia finisse. Allora provava a tergiversare, cercando di non fare scivolare le mani più giù del viso. Ma l'istinto ebbe il sopravvento e le mani non riuscirono più a stare ferme. Scesero lentamente sul collo, e provarono a intrufolarsi sotto il vestito. Fu lì che Ninella lo fermò.

«Non vorrai mica fare queste cose in macchina, Mimì? *Ma pi ci m'è pegghiet?*»

Provò ad aggredirlo solo perché si sentiva completamente persa, ma restò attaccata al sedile.

«Scusami, Ninella... è che credevo...»

«Siamo qui per chiarirci, no?»

«Sì...»

«E allora continua a chiarirmi...»

Fu il "la" che le sarebbe stato fatale. Don Mimì le prese il vestito, lo abbassò e la cosparse di baci come se non avessero fine. Ma Ninella, per quanto avesse dimenticato molte cose, non lo aveva ancora perdonato del tutto. Per cui lo fermò – non stiamo correndo troppo? – spalancò la portiera e scese a fare quattro passi in mezzo a quella terra che li aveva divisi. Lui rimase un po' spiazzato ma non si fece prendere dalla paura. Era lì e non gli sarebbe scappata. Ninella si allontanava solo per essere inseguita. Lui le andò dietro fino al suo ulivo preferito.

Visti da lontano, sembravano due sposi che mimano le scene per un filmino prematrimoniale. Ma quello non era un film. Era la vita. Ninella accolse quel bacio senza più vergogna né titubanze, in un momento che sarebbe potuto durare per sempre.

Per un po' restarono così, appoggiati a quel grande albero, a vedere all'orizzonte che ne sarebbe stato di loro. Nessuno dei due vide nulla di buono, anche se non se lo dissero. Don Mimì provò a bofonchiare che era pronto a lasciare sua moglie, se solo Ninella avesse voluto. Ma mentre lo diceva diede un'occhiata all'orologio per vedere quanto tempo gli restava. Ninella aveva avuto già troppe batoste ed era stanca per intraprendere una nuova battaglia. E poi doveva pensare a sua figlia: se mai fosse venuta fuori una storia del genere, l'avrebbe messa nei guai. Non voleva ammetterlo, ma non aveva scelta. Eppure non riusciva a staccarsi da lui.

«Ormai è tardi, Mimì. È troppo tardi.»

«Però possiamo ancora provarci.»

«Chi te lo dice? Non ci conosciamo più. Ognuno di noi è innamorato dell'idea che aveva dell'altro.»

«Lo credi veramente?»

«...»

«Guardami e dimmi se lo credi veramente.»

Fu in quel momento che Ninella non ebbe più paura di essere felice. «Vieni qui, amore mio» gli disse avvicinandolo a sé. Ma don Mimì non poteva lasciare che fosse una donna a condurre le danze. Si staccò da lei per prendere la rincorsa prima dell'assalto finale.

E Ninella fu sua, incondizionatamente. Il suo sesso già duro non aveva più nessuna fretta. Stava lì ad aspettare il paradiso e intanto si godeva l'attesa con quella che era sempre stata l'arma segreta di don Mimì a letto: la generosità. Quando lo faceva, dava tutto, come se fosse l'ultima volta che faceva l'amore. E finalmente fu dentro di lei.

La macchina, poco più in là, mandava nuove canzoni, mentre l'orologio aveva preso a correre. L'orgasmo li risvegliò dal sogno senza sensi di colpa né imbarazzi. Solo la gioia di guardarsi negli occhi. Ma a don Mimì non poteva bastare, e continuava a non staccarsi da lei. «La lascio» le ripeteva, «se tu vuoi la lascio e ce ne andiamo da qui.»

Fu lì che Ninella fermò veramente le danze. Ormai aveva deciso. Ci aveva messo una vita per guarire, e non avrebbe voluto sprecare i nuovi anni per superare un nuovo trauma.

«Non ha più senso, Mimì. Siamo cambiati, e i nostri figli si sono sposati al posto nostro.»

«Ma ci possiamo sposare anche noi. Divorzio e poi ci sposiamo.»

«Avremmo potuto sposarci quando era tempo, quando avremmo potuto fare dei figli. Ma è stato bello avere la conferma che in fondo non sei cambiato. Non mi ero sbagliata a idealizzarti... per anni ho sognato un momento come questo, ma non ero riuscita a sognarlo più bello di così. E di questo ti sarò per sempre grata. Non è da me dire certe cose ma domani non voglio pentirmi di non avertelo detto.»

«Promettimi che ci rivedremo.»

«Perché me lo chiedi?»

«Perché so che anche tu lo vuoi. Lo sento.»

«Sono già stata male abbastanza e ora vorrei godermi un po' la vita, uscire, farmi delle amiche, magari trovare un uomo libero con cui andare la domenica in pizzeria. Tu hai Matilde che ti aspetta, e sarà già preoccupata.»

«No, ora starà ancora friggendo polpette.»

«Sì, ma lei ti ama quanto ti amo io. Non è da tutti, credimi, e non darlo per scontato. Anche mio marito mi aveva amato così e oggi mi rimprovero che mi sarei potuta sforzare almeno un po' con lui. Sarei stata sicuramente meno sola.»

A udire quelle parole, don Mimì si sentì piccolo e sbagliato. Le riguardò la collana che aveva comprato con i suoi primi guadagni e provò un moto d'orgoglio.

«Sono contento di averti ritrovato, Ninella. Ma sarò felice solo se ci rivedremo un'altra volta.»

«Chissà... adesso però riportami a Polignano.»

Don Mimì si avvicinò per l'ultima volta alla sua bocca. La baciò come avrebbe baciato un angelo, solo con il respiro. Il maestrale, intanto, si era fermato a guardarli. Non avrebbe mai voluto vederli salire in macchina e tornare a casa.

Non avrei mai trovato il coraggio di scrivere questo romanzo se non avessi incontrato, per caso, persone bellissime. Ero a Polignano, dopo una presentazione, e mi ritrovo a tavola con Gianni e Annamaria Polignano – cognomen omen – con cui iniziamo a discutere di matrimoni. Per una volta non parlo ma ascolto rapito, e il giorno dopo confido loro che mi piacerebbe raccontare una storia. Tempo zero e mi invitano al matrimonio della loro cugina Daniela (con Giuseppe) – che conosco il giorno prima delle nozze – mi prestano una casa meravigliosa a picco sul mare dove scrivere, mi sequestrano a pranzo e cena a ogni mia incursione pugliese, e mi mettono nelle condizioni di parlare con chiunque abbia una storia da confessare, fino a che non trovo questa.

Io che amo solo te è nato così.

Grazie quindi a Daniela e Viviana La Ghezza, Antonella, Valentina e Donatella Serripierri, Giuseppe Facciolla, "zio" Franco e "zia" Rosa, "zio" Enzo e "zia" Dora (quella vera, che è un mito), Massimo, Onofrio, Giuseppe, Antonio, la zia e la nonna! Io vi adoro.

Un grazie speciale ad Annamaria Minunno e Michele Campanella – il mio primo lettore – che mi hanno dedicato tempo e affetto scarrozzandomi per la Valle d'Itria.

Grazie a Giuliano Sangiorgi, ai suoi fratelli Luigi e Salvatore e all'adorabile Carmelina, nel ricordo di giorni speciali passati a ridere, cantare e mangiare "albicocchéh".

Grazie ad Alessandro D'Amico, Giancarlo Showman (quello vero!), lo staff di Residenza San Tommaso, Rosanna Laruccia,

Antonio Centrone, Francesco Di Turi, Katia Torres, Danilo Cacucciolo, Onofrio Lilla, Gianni Di Napoli, Roberta Russo, Danilo Montaldo, Raffaele Casarano, Marianna Mammarella, Tiziano Russo, Giampiero Pisanello, Pasquale Ladogana, Nicola Cipriani, Mimmo Ricatti, Lorenza D'Adduzio, Francesca Barba, Michele Angelillo, Rocco Caliandro.

Grazie per varie ragioni a Ornella Tarantola e The Italian Bookshop, Benedetta Parodi, Alfredo Gramitto Ricci, Laura Pausini, Gianluigi De Rosa, Giulio Vecchi, Luciana Littizzetto, Mirta Lispi, Claudio Ferrante, Mirko Nazzaro, Mavi Scartozzi, Dose & Presta, gli amici di Radio2, Daniele Ricci, Federico Dado, Carla Ferrero, Laura Antonelli, Isabella Errani, Federico Bucchieri, Emanuele Ciccone (!), La Pina – inchino – e Diego, Maria Pia Coccimiglio, Pietrangelo Buttafuoco e Francesco Merlo.

Grazie alla mia editor Joy Terekiev per l'entusiasmo, la dedizione, il talento e la passione.

Grazie a Cristiana Moroni, Giovanni Dutto, Raffaella Roncato, Nadia Focile, Loredana Grossi, Nadia Morelli, Marilena Rossi, Mara Samaritani, Camilla Sica e a tutti i ragazzi in Mondadori.

Grazie a Barbara Gatti per le idee e per aver contenuto i miei deliri redazionali.

Grazie per l'entusiasmo a Marco Miana, Kylee Doust, alla Sosia & Pistoia.

Grazie a Simona Baroni, Benedetta Finocchi e a Dolce & Gabbana, che mi fanno sembrare più bello.

Grazie a Marco Ponti e Sandra Piana, che mi fanno sembrare più intelligente.

Grazie ai miei amici, a mio fratello, alla mia famiglia, alle persone sempre presenti in giorni non sempre facili. *You know who you are.*

Grazie ai miei lettori e alle persone che hanno ancora il desiderio di immergersi in un libro. Siete persone a me care.

Infine, grazie a Sergio Endrigo per quella canzone. Ricordo ancora il giorno in cui non riuscivo a scrivere perché avevo voglia di perdermi nella sua melodia. L'ho sentita in tutte le versioni. Lì dentro ho trovato un tesoro e sono felice che Claudia Endrigo si sia entusiasmata all'idea del romanzo. Il suo slancio sincero è stato un gesto d'amore.

P.S. Lo so, è un elenco troppo lungo e i ringraziamenti non vanno più di moda. Ma sono la festa di matrimonio di ogni scrittore ed è l'unica pagina davvero letta dei libri!

P.P.S. Per i personaggi ho scelto i nomi e i cognomi più diffusi della zona. Mi scuso con eventuali omonimi, anzi spero di conoscervi durante le presentazioni.

«Io che amo solo te»
di Luca Bianchini
Oscar
Mondadori Libri

Questo volume è stato stampato
presso ELCOGRAF S.p.A.
Stabilimento - Cles (TN)
Stampato in Italia. Printed in Italy